CASTEL-PIRATE.

CASTEL-PIRATE

DANS LA MÊME COLLECTION

MAGALI

CASTEL-PIRATE

LIBRAIRIE JULES TALLANDIER
17, rue Remy-Dumoncel, PARIS (XIVe)

CASTEL-PIRATE

Les yeux perçants du voyageur, déjà accou-
tumés aux ténèbres du petit port, à cause du
trajet que l'homme venait de faire le long de
l'étroit sentier, distinguèrent la barque, balan-
cée au bout de son invisible filin.

A sa hauteur, sur le quai, une forme se
tenait immobile.

— *Hello,* passeur?... Passeur?

Lentement, la forme se retourna. Elle émergea de l'obscurité et vint se profiler dans le
rayon de la lampe électrique que l'inconnu
braquait sur elle.

Entre les plis de la cape sombre qui évo-
quait quelque goéland aux ailes repliées, un
corps féminin se laissait deviner à cette grâce
souple qu'il gardait en dépit du costume iné-
légant. Sous la capuche, deux yeux clairs exa-
minèrent l'intrus.

— C'est vous qui passez? s'enquit l'homme
d'un ton un peu incrédule.

L'inconnue répondit par une autre question
tout aussi incrédule:

— Vous voulez aller dans l'île, ce soir?

— Apparemment... puisque je suis ici.

Le timbre était bref, sans doute pour décourager d'autres demandes indiscrètes.

La cape noire se redressa, tandis que les épaules semblaient soudain plus larges et que la silhouette prenait de la taille.

— Alors, embarquons!

L'homme assura sa valise dans sa main et enjamba le plat-bord. La femme détacha l'amarre, sauta dans la barque à son tour et prit les rames. Il n'y eut plus que leur bruit cadencé à rythmer le silence ambiant.

L'homme avait allumé une pipe dont il se mit à tirer de longues bouffées tout en regardant nonchalamment s'éloigner la côte.

Quelques lumières piquaient la masse obscure des arbres comme des yeux mi-clos dans les fenêtres étroites des maisons dispersées. Les yeux du passager s'habituaient de plus en plus à l'obscurité. Il remarqua les mains fines dont le dessin lui parut insolite chez une paysanne accoutumée à ce rude métier de passeur.

— L'île est encore loin? s'informa-t-il, pour engager la conversation.

— Nous y serons dans vingt minutes.

La voix était fraîche, bien qu'un peu rauque. La femme devait être jeune. Le vent avait soulevé son capuchon et jouait dans les mèches souples de ses cheveux. Elle se penchait à chaque mouvement des rames et la façon dont elle ramait témoignait de beaucoup de force et d'expérience.

— Y a-t-il longtemps que vous faites ce métier? demanda l'homme entre deux bouffées.

La passeuse se détourna légèrement. Il put voir se dessiner son profil orgueilleux, son petit nez levé dans une expression de défi.

— Mon métier ne m'oblige pas à répondre aux questions indiscrètes.

— Pardon!

Dans l'ombre, il avait réprimé un sourire. Il ne se démonta pas. Peut-être était-il habitué à voir céder les obstacles devant son calme têtu.

— Madame... ou mademoiselle?

— Vous pouvez dire « passeuse », si vous tenez absolument à me donner un titre.

— Comme on dit « capitaine », déclara plaisamment son interlocuteur.

Les avirons battirent l'eau dans un rythme plus saccadé. La passeuse n'offrait plus que son dos hostile et son silence décourageant.

— Devez-vous revenir ce soir sur le continent? interrogea le passager, ce qui était une façon de s'enquérir si elle habitait l'île ou le village de la côte.

— Non.

Autre silence pesant, compact, rythmé par la retombée des rames.

— Y a-t-il beaucoup de monde dans l'île, à cette époque?

— Si vous trouvez ouverte la seule auberge

qui, à la saison, reçoit les clients, vous aurez de la chance. Mais le père Corentin n'accepte des pensionnaires que de juin à septembre.

— Et nous sommes mi-octobre. J'espère qu'il fera une exception pour moi.

— J'en doute, fut la réponse laconique.

L'homme se mit à rire. Il avait un rire gai, communicatif.

— Je vous remercie de votre optimisme. Dans ce cas, peut-être, trouverai-je une âme charitable qui voudra bien m'accueillir pour la nuit?...

Il semblait fort insoucieux.

— En fait d'âmes, il n'y a que celles qui habitent l'auberge et les quelques maisons qui composent tout l'effectif de la population.

On ne sut pas si l'exclamation qui accueillit ce renseignement fut de surprise ou de dépit, mais la passeuse voulut y voir de l'inquiétude. Elle ajouta, sévère, et visiblement satisfaite de l'effet produit :

— C'était très imprudent à vous de vous embarquer ainsi pour l'île sans savoir si vous y trouveriez un gîte.

— Voyons, dit le passager de sa voix calme et gaie, vous étiez à quai et paraissiez attendre. Je suppose qu'il doit vous arriver de recevoir des voyageurs.

Elle daigna expliquer :

— Je suis allée faire des provisions au bourg. La descente est rapide et, quand vous êtes arrivé, je reprenais souffle en attendant de pousser la barque à l'eau. Sans cela, vous n'auriez trouvé personne pour vous fraverser.

A nouveau, le rire de l'inconnu réchauffa l'atmosphère.

— En cette conjoncture, il ne me restait plus qu'à y aller à la nage.

Dans l'ombre de la capuche, une étincelle brilla à la hauteur des grands yeux clairs.

— Vous avez donc un motif bien urgent d'aborder chez nous?

L'étranger remarqua qu'elle avait dit « chez nous » dans une sorte de réflexe défensif et que sa voix vibrait de méfiance.

Il haussa ses vastes épaules.

— Non, mais j'avais le caprice d'y arriver ce soir. Et je réalise toujours mes caprices... ou presque toujours, corrigea-t-il, dans un évident souci de vérité.

Elle soupira. Il ne sut pas discerner la signification de ce soupir; il enchaîna aussitôt:

— Si votre M. Corentin ne me fait pas l'aumône d'une chambre, j'aurai toujours la ressource de coucher sur la lande, à la belle étoile.

— Dans l'herbe humide? s'exclama la voix alarmée.

— Bah! ce n'est pas pour m'effrayer. J'en ai vu d'autres.

La femme regarda la stature de l'homme assis, parut jauger sa force et se poser à son sujet de secrètes questions. D'où venait cet étranger hardi? Quelle existence passionnante avait-il vécu, loin de la terre solitaire où s'écoulaient les jours paisibles et monotones de son nautonier imprévu?

Elle murmura, d'un ton plus bas, plus farouche:

— Ah bah!... Des bandits armés? Des bêtes sauvages?

Il avait toujours sa voix railleuse. Elle laissa aller les rames sur les vagues et se retourna un peu vers lui, jusqu'à toucher du haut de sa capuche son buste courbé et attentif.

— Les filles de la mer... et les esprits de la lande.

— Non?...

Cette fois, l'homme distinguait la forme du visage et la clarté des yeux. La réflexion lui en disait encore plus long sur la jeunesse de sa compagne. Il expliqua, très sérieux :

— Je ne les crains pas.

— Vraiment?

— J'ai fait un pacte avec eux.

Il avait un air mystérieux. Elle le fixa un moment, la bouche entrouverte. Ses mains demeuraient immobiles sur les poignées des avirons. Quand son rire retentit, elle comprit qu'il se moquait d'elle et pinça les lèvres :

— C'est malin!

Elle plongea le corps en avant. Son effort plus nerveux accéléra la progression de la barque.

— Vous m'en voulez? fit la voix moqueuse.

— De quoi?

— De ne pas partager vos inquiétudes rela-
tivement aux sirènes et aux korrigans?

— On voit bien que vous n'êtes pas de chez
nous, riposta-t-elle avec rancune. Si vous
aviez été élevé dans l'atmosphère de nos
légendes gaéliques, peut-être vous montreriez-
vous moins sceptique.

— J'avoue, concéda-t-il légèrement, que je
suis trop matérialiste pour croire aux contes
de fées. Et je le regrette. Car cela doit donner
à la vie beaucoup de piquant.

— Vous me trouvez idiote.

Peu à peu, elle se détendait, cédant malgré
elle à sa bonne humeur.

— Je me garderais de porter un tel jugement sur vous, mademoiselle.

Il lui appliquait l'appellation d'autorité et
elle ne réagit pas. Parbleu, c'était presque une
enfant, à en juger par sa voix et ses réflexes.
Mais quel bizarre et dur métier pour une jou-
vencelle!

Maintenant, la rive se rapprochait. Le
regard du passager tenta de fouiller la grève.
La dense obscurité rendait malaisé l'examen
des lieux. A peine si de vagues reflets traî-
naient sur la mer.

La main de l'homme désigna une tour cré-
nelée qui se profilait et semblait dominer l'île
de sa forte masse.

— Sémaphore?

Le regard clair avait suivi son geste. La
passeuse déclara — et sa jeune voix nette prit
une expression méprisante :

— C'est le castel du Pirate.

— Ah! ah! il y a donc encore des pirates dans votre île?

— Fort heureusement, ils ont abandonné leur repaire.

— Dommage. C'est très romanesque.

Elle gronda, agressive soudain :

— Il n'y a rien de romanesque à piller les épaves et à provoquer des naufrages pour dépouiller les victimes. Si vous voulez le savoir, c'était là le métier des Guilvinec.

Le passager tira sur sa pipe dont le foyer rougeoya, allumant une petite étincelle dans la nuit.

— Ce sont des histoires bien périmées.

— Pas si périmées que ça. Ma grand-mère a connu le dernier de la bande avant qu'il quitte l'île et qu'il aille se faire pendre ailleurs, le maudit chien!

L'homme sourit de tant de véhémence.

— Il ne doit pas faire bon être de vos ennemis, jeune fille.

Elle abandonna les rames et se retourna si vite qu'elle faillit faire chavirer la barque.

— Vous avez tort de rire. Dans ma famille, on n'a pas cessé de prier un seul jour pour que la tribu entière des Guilvinec brûle éternellement en enfer.

— Mais, dites donc, vous ne pratiquez pas la charité chrétienne? Voilà une prière qui ne me paraît pas conforme aux préceptes divins.

— Les Guilvinec ne sont pas des chrétiens,

riposta la voix outragée. Attention, monsieur!
Déchaussez-vous. Il y a du ressac et je ne
peux pas aller plus loin.

Elle avait jeté l'amarre avec une force
qu'on n'aurait pas attendue de ses minces poi-
gnets. Le passager obéit à son injonction, tandis qu'elle retenait la barque. Il se mit pieds
nus, releva le bas de son pantalon, prit sa
légère valise dans le fond de l'embarcation et
sauta dans l'eau noire.

Mouillé jusqu'aux chevilles, il gagna la
grève en quelques enjambées, tandis qu'elle
arrimait l'embarcation. Il tenta de l'aider à la
tirer sur le sable, mais elle refusa son aide
d'un farouche signe de tête.

— Comme il vous plaira, dit-il courtoisement.

Il acquitta le prix du passage qu'il trouva
fort modique et se dit à part lui qu'avec de
pareils tarifs la jeune passeuse ne risquait
guère de faire fortune. Après quoi, il se fit
indiquer le chemin de l'auberge.

Elle avait décroché la lanterne suspendue à
l'avant de la barque et s'en servait comme
d'un fanal.

— Je présume que vous n'avez pas besoin
d'escorte, risqua l'étranger avant de s'éloigner.

— Je suis chez moi, ici, dit-elle fièrement.

Mais comme il faisait demi-tour, sa jeune
voix agressive se radoucit.

— Merci quand même, monsieur.

Pensivement, elle le regarda s'évanouir

dans les ténèbres. Debout dans sa grande cape
que le vent gonflait, elle avait l'air d'un vaste
oiseau sauvage. Puis, elle saisit le sac à provisions que protégeait une toile caoutchoutée et
qui gisait à l'avant de la barque, et se mit en
marche à son tour. Elle grimpait d'un pas de
chèvre le chemin à peine visible qui s'amor-
çait parmi les touffes de lichen.

Une préoccupation l'agitait.

« Que peut-*il* bien venir faire dans
l'île? »

Cette interrogation resta curieusement
dans sa pensée jusqu'à ce qu'elle entrevît,
dressée sur le promontoire, la silhouette
basse et noire et l'escalier de granit de Maison
Rousse. Alors son cœur se souleva de tendresse, comme chaque fois qu'elle revenait
vers la demeure solitaire où se concentrait
toute sa jeune vie.

II

— Paix! cria la vieille à la chienne d'une voix indignée. Cette bête, elle me renverserait pour bondir plus vite au-devant de toi...

— Bonsoir, Anaïs... Là! là! Caro... Laisse mes mollets, je te prie, et cesse de renifler comme une mal élevée... Quelle sauvage!... Qu'as-tu fait des bonnes manières que je m'évertue à t'inculquer, chienne de vaches!...

Bondissante, la bête, insoucieuse de l'injure, poussait des jappements de tendresse en sautant à la taille de l'arrivante.

Anaïs ouvrit toute grande la porte. Les ailes de sa coiffe palpitèrent dans le vent.

— Enfin, te voilà! Ce n'est pas malheureux. Si c'est pas une folie de te retarder comme ça et de nous mettre tous dans l'inquiétude. Où as-tu encore rôdaillé?

— Je n'ai pas rôdaillé, rétorqua l'interpellée sur un ton offensé. J'ai été retardée par un touriste.

— Un touriste à cette heure? Ma Doué! il est tombé sur la tête!

Une voix étonnée s'éleva de l'intérieur de la salle chaude :

— Vraiment, Stella, tu as ramené un voyageur?

— Tout ce qu'il y a de vraiment...

La petite main brune fouilla dans la poche du gros pantalon de drap, extirpa un billet de vingt francs et le fit glisser sur la table, près de la pelote de laine que sa sœur tricotait.

— Et voilà le prix du passage.

— Ce n'est pas encore avec ça que nous ferons réparer le toit, grommela Géraldine.

Elle rangeait son travail, tandis que sa cadette se débarrassait de sa houppelande et l'allait suspendre à l'une des cornes sculptées qui formaient vestiaire, dans un des angles de la vaste pièce.

— Grand-mère est couchée? s'enquit-elle en se retournant.

— Elle t'a attendue pour s'endormir. Tu sais bien qu'elle ne peut trouver le sommeil tant que tu n'es pas allée l'embrasser. Tu es son Dieu! ajouta-t-elle d'un ton plus rogue.

— Tu n'es pas jalouse parce que c'est à moi que grand-mère réclame son bassin et ses pastilles? plaisanta la cadette.

Géraldine haussa les épaules.

— Tant que tu y es, débarrasse-moi aussi de Sauve-qui-peut : elle n'arrête pas de tournailler autour de moi depuis que tu es partie. Ça m'énerve.

Elle s'était levée. Debout, on voyait qu'elle était plus grande que sa sœur, plus osseuse.

Elles se ressemblaient, mais les yeux, brillants chez Stella, avaient plus de tendresse que ceux de l'aînée, plus de vivacité aussi. Géraldine était déjà rudement marquée par la vie.

— Pas de nouvelles de Jean?

— Rien, dit Géraldine, tandis que son visage se rembrunissait.

— Il fera jour demain, fit la cadette avec optimisme.

Tandis que l'autre soupirait imperceptiblement, elle saisit la chatte qui ronronnait en se frottant à ses gros souliers et appuya câlinement le poil soyeux contre sa joue; les grands yeux verts du félin se mirent à luire comme des lampes. Elle fit le gros dos, se pelotonna.

— Il n'y a que toi pour amadouer cette sauvage, émit Géraldine sur le même ton. Elle s'est fait encore les griffes après les rideaux.

— Bah! au point où ils en sont, répliqua Stella avec philosophie. Viens, Sauve-qui-peut! On va dire bonsoir à grand-mère.

La bête sur l'épaule, elle disparut par la porte du fond.

— Tu ne vas pas déjà te coucher?... cria l'aînée.

— Dès que j'aurai vu grand-mère. Je suis fatiguée et j'ai froid. Le vent de la mer était glacial. Anaïs, apporte-moi un bol de soupe dans mon lit.

Anaïs protesta vigoureusement, de la cui-

sine d'où lui était venue l'injonction. C'était
bien la peine de préparer des crêpes, si personne n'en mangeait! Et que signifiaient ces
manières de se faire servir au lit maintenant?

Elle ronchonnait encore lorsque le coup de
poing insolite martela le panneau de l'entrée.
Du coup, elle s'immobilisa. Puis, elle vint
jusqu'au seuil de la salle, sa louche à la main,
et regarda Géraldine qui, elle aussi, avait
tourné la tête et paraissait figée de surprise.

Caro abandonna sa place favorite, sous le
fourneau, pour s'avancer vers le couloir. Elle
commença à gronder à petits abois brefs.

Les deux femmes attendirent une minute,
tendant l'oreille, changées en statues. A nouveau, le bruit résonna, par deux fois, comme
si le visiteur inconnu s'impatientait.

La servante se dirigea en claudiquant vers
l'entrée.

— Qui est là? cria-t-elle, méfiante.

En même temps qu'elle posait la question,
très illogiquement, elle manœuvrait le pêne.
La porte battit sur le noir du dehors. Une
silhouette se profila au seuil.

La chienne vint la renifler, puis s'arc-bouta
sur ses pattes, mais son hostilité n'alla pas
plus loin.

— Je vous demande pardon, dit une voix
cordiale, je me promène depuis une demi-
heure à travers la lande et je crois bien avoir
perdu mon chemin.

Géraldine s'était avancée. Elle vit un étranger vêtu d'une veste imperméable et d'un

pantalon de sport, qui portait une valise à la main. Il avait des yeux bleus rieurs dans un visage hâlé et des cheveux blonds qui bouclaient légèrement sur les tempes. Cela lui donnait un air d'extrême jeunesse que ne justifiaient pas les lignes creuses de la bouche et la maturité des traits.

Le nouveau venu ne parut pas s'apercevoir de la stupeur qui figeait Anaïs, réprobatrice, au seuil, et Géraldine, abasourdie. Il avança de quelques pas et promena un regard charmé sur l'impeccable propreté du lieu.

La salle était longue et le plafond bas aux poutres noircies lui donnait un air intime, malgré ses proportions. Une lampe-suspension massive, mais allégée de volutes de fer forgé d'un très beau travail, pendait au-dessus de la table dont le bois brillait comme un satin. Sa lumière renforçait celle des bougies que supportaient des chandeliers d'argent, sur le manteau de la haute cheminée, et luttait victorieusement avec les ténèbres massées dans les encoignures.

Elle allumait ses feux sur les assiettes de la crédence, sur la glace ancienne mal cachée par le battant ouvert d'une des fenêtres à croisillons et sur le vieux Christ au pied duquel trempait une branche de buis.

Deux bancs couraient le long du rectangle de noyer poli. Au centre, un bouquet de colchiques trempait dans un bol ancien ébréché.

L'inconnu fit entendre un sifflement admiratif.

— Mâtin! on se croirait revenu au temps de Rollon! Je me demande si je ne trouverais pas encore ses bracelets suspendus à la branche d'un chêne. Autrement dit, madame, vous avez un intérieur digne d'un musée provincial.

Les sourcils de Géraldine s'étaient rejoints au-dessus de ses yeux froids. Elle toisa l'intrus.

— Qu'y a-t-il pour votre service? demanda-t-elle sèchement.

Le regard gai vint se poser sur le visage aigu de l'hôtesse. Pour la première fois, il perdit de son assurance. Mais ce fut très fugitif. Même les airs distants de Géraldine Gallahan n'étaient pas de force à entamer sa réserve d'optimisme.

Il sourit avec certitude.

— Je pense que vous ne me refuserez pas un abri pour la nuit, madame? J'ai en vain frappé à la porte de l'auberge, puis à deux ou trois maisons rencontrées sur ma route; c'est à croire que j'ai atterri dans l'île du Roi dormant, car aucun huis n'a daigné s'entrouvrir pour moi. Seule, votre porte s'est montrée hospitalière. Et je commence à reprendre courage.

Géraldine ne quittait pas son visage de bois.

— Nous sommes tous assez sauvages, à Roch-Manech, et on ne s'y attend pas à recevoir des étrangers à une heure aussi tardive.

— Aussi, serez-vous mille fois bonne, madame, d'excuser mon inqualifiable incursion chez vous. Je ne connais pas le pays et j'arrive de loin. Je me suis fié aux dépliants trouvés dans mon hôtel, à Rennes. Ils mentionnaient le pittoresque et la solitude de cette île, et, ma foi, je me suis emballé à l'idée de la venir visiter.

« J'ai peut-être été un peu vite? avoua-t-il, avec une moue confuse.

Les traits de Géraldine se détendaient. Visiblement, la courtoisie et la bonne humeur du visiteur, son aisance, sa facilité à trouver des mots convaincants qu'il prononçait d'une voix agréable et sympathique, entamaient sa réserve glacée.

Anaïs referma machinalement la porte restée entrouverte. Implicitement, elle acceptait l'intrus.

Caro repartit en trottinant vers la cuisine.

— Les dépliants dont vous parlez sont diffusés pendant l'été, expliqua Géraldine. Ils amènent ici des groupes de touristes qui y passent quelques heures et s'en vont ensuite. On n'est pas organisé pour recevoir des visiteurs à demeure. Evidemment, ajouta-t-elle, abandonnant un peu de son ton rogue et hostile, pour ce soir, on ne peut vous laisser dehors.

L'inconnu eut un geste vif.

— Vous acceptez de m'héberger? Grâces vous soient rendues, madame! Je vous en suis mille fois reconnaissant.

— Oui, mais, demain...

— Oh! demain... ne vous tourmentez pas pour moi. Je saurai me débrouiller.

Il franchit les quelques pas qui le séparaient du seuil et pénétra dans la salle. Alors, Géraldine s'aperçut qu'il boitait.

— Vous êtes blessé?

Il haussa insoucieusement les épaules.

— J'ai trébuché dans le noir, sur la lande. Ce n'est pas grave.

Déjà, il posait sa valise sur une chaise, s'enquérait, toujours courtoisement mais avec une sorte d'aimable tyrannie, où il pourrait se laver les mains.

— A l'évier de la cuisine. Avez-vous dîné? s'informa Géraldine qui reprenait maintenant ses prérogatives de maîtresse de maison.

— Merci. J'avais mangé au bourg avant de prendre le bateau. Je n'ai besoin que d'un lit.

— La chambre du coin... la chambre verte, ça fera-t-y pas l'affaire? suggéra Anaïs qui n'avait rien dit encore, occupée qu'elle était à observer, bouche bée, tous les mouvements du garçon. Le feu est préparé.

Géraldine inclina la tête en signe d'acquiescement, tandis que le visiteur tardif se dirigeait en claudiquant vers la cuisine.

— Attendez, je vais vous donner un essuie-mains propre, s'empressa Anaïs.

— Voulez-vous que je panse votre pied?... demanda Géraldine, quand il revint, accom-

pagnée d'une odeur de savon frais et de
lavande.

Un charmant sourire s'épanouit sur le
visage du visiteur.

— Ne vous donnez pas cette peine. Je ferai
cela moi-même. Et, demain, il n'y paraîtra
plus.

— Dans ce cas, je vais vous chercher le
nécessaire.

Elle disparut par une des portes cloutées,
puis revint avec une boîte de fer d'où elle tira
des bandes Velpeau et des rouleaux de
gaze.

— Vous avez de quoi installer tout un hôpital, plaisanta le jeune homme.

Sans lever les yeux, elle répliqua :

— L'île n'a pas de pharmacie. Il faut aller
au bourg pour la moindre chose. La prudence
nous oblige à nous prémunir. Tenez, voilà qui
fera votre affaire, je pense? acheva-t-elle en
lui tendant une bande roulée.

— Merci, madame... et mille excuses pour
ce dérangement.

Anaïs revenait, avec un bougeoir muni de
sa bougie allumée.

— Vous trouverez des allumettes dans le
tiroir de la table de chevet, avertit l'hôtesse.

— Grand merci, madame. Bonsoir.

La voix était d'une chaude tonalité et riche
de séduisantes inflexions. Debout devant elle,
il attendit qu'elle lui tendît la main. Elle ne
put ignorer le sens de cette pause. Après une
imperceptible hésitation, elle lui offrit sa

paume. Galamment, il s'inclina et y posa ses lèvres.

Puis, il tourna les talons et prit la bougie. Géraldine eut un bref mouvement pour l'escorter. Elle fit quelques pas dans le couloir. Comme il allait franchir la porte laissée ouverte par Anaïs, elle prononça, d'une voix brève où traînait un blâme informulé :

— Vous ne m'avez pas dit votre nom, monsieur.

— Oh! pardon, fit-il, confus.

Il se détourna légèrement. Dans l'obscurité, il ne pouvait distinguer ses traits, mais, pour lui, le reflet dansant de la bougie éclairait son visage ouvert et rieur et le modelé ferme du menton.

— Je m'appelle Gordon, madame.

Et, comme si ce qu'il allait dire ne devait pas éclater à la manière d'une bombe explosive dans la maison tranquille, il compléta, d'un ton parfaitement insoucieux :

— Gordon Guilvinec. Pour vous servir.

Le bruit de la porte refermée sur sa longue silhouette suivit d'une seconde cette déclaration.

-:-

Géraldine paraissait médusée; les derniers mots prononcés par le visiteur l'avaient fait pâlir. Elle resta un instant à fixer le panneau refermée, comme changée en statue de pierre.

Le soupir d'Anaïs la tira de sa stupeur.

— Mes oreilles ont-y bien entendu? s'exclamait la Bretonne, dont les yeux exorbités semblaient garder le reflet de quelque vision diabolique.

Et son menton planté de poils follets s'agitait spasmodiquement sous sa lèvre que virilisait un duvet gris.

— Moi non plus, je n'en crois pas le témoignage de mes sens, proféra la voix troublée de Géraldine.

Elle rentra lentement dans la salle et dévisagea la servante. Toutes deux se comprenaient sans qu'il fût besoin de paroles. Anaïs était depuis près de quarante ans au service de la famille Le Meur et, peu à peu, elle s'y était incorporée jusqu'à en faire partie intégrante. Ses deuils, ses gloires, ses misères, étaient devenus les siens.

Elle chuchota :

— Et vous l'avez entendu dire qu'*il* était venu ici guidé par les dépliants, cet innocent? Le damné rat, le fieffé menteur! articula-t-elle furieusement.

— Que faire, Anaïs?

Le visage d'Anaïs se tendit, tragique.

— Ma Doué! c'est comme qui dirait le diable qui se serait introduit *subréquittement* dans cette maison.

— Subrepticement, corrigea sa maîtresse, machinale.

Et elle ajouta, comme pour elle-même :

— Que dira grand-mère si elle sait que nous avons accepté sa présence sous ce toit?

Anaïs se dirigea résolument vers la cheminée. Courbant son buste fatigué, elle tendit la main et la referma sur une paire de pincettes armoriées. Puis, désignant la pelle, elle proposa, d'un air belliqueux :

— Prenez donc cet outil-là, madame Géraldine. Et courons sus à ce suppôt de Satan!

Elle était si farouche et comique aussi avec son bonnet de travers et les deux taches rouges de ses pommettes que Géraldine ne put réprimer un sourire. Ce sourire la détendit.

— Pas question, dit-elle. Tu oublies que cet individu est notre hôte et, chez nous, un hôte, c'est sacré.

— Il ne fallait pas le laisser entrer.

— C'est évidemment ce qu'il aurait fallu ne pas faire. Mais tu as été bien pressée d'ouvrir.

— Dame... je pouvais-t-y me douter, moi?

Elles se regardèrent, déconcertées et incertaines. Tant d'années de cohabitation — fidélité chez l'une, sollicitude chez l'autre — avaient créé entre elles une sorte de lien ténu.

Soudain, la voix de Géraldine s'éleva, nuancée de surprise :

— Comment se fait-il que la chienne n'ait pas aboyé davantage?

— C'est vrai. Elle n'a rien dit, cette bête.

Elle n'a pas bougé de son coin, même quand il
est allé se laver les mains.

Et, hochant son bonnet à brides :

— Il doit être sûrement un « enchanteur ».
Ah! ma Doué! ma Doué! qu'est-ce qui va
nous arriver?

— C'est surtout la façon dont grand-mère
prendra la chose qui m'inquiète, déclara
Géraldine, soucieuse.

Anaïs eut un sifflement perplexe.

— Ouais... Et M. Hervé, donc. C'est heureux
qu'il ait embarqué ce matin... Et que M. Jean
ne soit pas là aujourd'hui... Si Madame m'en
croit...

A nouveau, elle serrait farouchement les
pincettes avec un mouvement menaçant vers
le couloir. Il fallait qu'elle fût bien émue pour
parler à la troisième personne. Cela ne lui
arrivait que dans les grandes occasions.

Géraldine se décida :

— Pose ça. C'est ridicule. J'ai trouvé.

— Ah? fit la Bretonne, le front levé.

— Nous ne dirons rien pour ce soir. Et,
demain, on se débarrassera de lui.

— Vous ne croyez pas qu'une bonne ta-
touille...

— Laisse les pincettes tranquilles et sers
plutôt le dîner, interrompit l'hôtesse, aga-
cée.

Anaïs se décida à obéir et à se séparer de
son arme improvisée. Elle rentra dans la cuisine, tandis que Géraldine disposait une
nappe à carreaux sur le coin de la table.

Puis, elle s'accroupit auprès de l'âtre pour y tasser des morceaux de tourbe; une fumée épaisse monta, s'épaississant à mesure. Géraldine alla ouvrir la fenêtre.

Elle resta un instant immobile, penchée sur l'abîme de la nuit. Le ciel n'avait plus d'astres. Les derniers semblaient être tombés en face, sur le continent, où de faibles lumières brillaient. On entendait le bruit du ressac... mais, sur la mer, il n'y avait que de vagues lueurs, peut-être le reflet de ces demeures sous-marines où les sirènes attirent les marins noyés.

Géraldine pensa à Hervé et frissonna. Elle n'avait pas la passivité des femmes de l'île à l'endroit des dangers courus par leurs hommes. Elle s'inquiétait sourdement de savoir son frère parti sur le *Cormoran*, ce vieux rafiot que le capitaine Pascal avait désaffecté et qu'en raison de la dureté des temps le fils avait repris pour la campagne de pêche. On avait signalé des bancs de poissons sur les côtes de l'Atlantique. La saison avait été mauvaise et il fallait aller assez loin pour trouver sa subsistance. Hervé avait parlé des côtes marocaines, si on ne rencontrait pas mieux avant. Il risquait d'être absent longtemps.

Ses pensées revinrent vers Jean, son mari. Quelles affaires — ou quelles distractions — l'avaient retenu hors de son foyer? Son métier l'obligeait à parcourir le pays. Il travaillait pour un antiquaire. Mais, d'habitude,

il revenait le samedi et passait à Roch-
Manech la journée dominicale. Stella et
Géraldine allaient le chercher avec la
barque.

Cette fois, Hervé était allé au-devant de lui
avec le bateau. Bien que les deux hommes ne
fraternisassent guère, — il y avait entre eux
cet invisible fossé qui séparera toujours le
marin du terrien, — Jean était le seul repré-
sentant du sexe mâle à pouvoir soutenir la
maisonnée, maintenant qu'Hervé s'en allait
pour de longues semaines.

Et voici que Jean, pour la première fois,
par une malencontreuse coïncidence, n'était
pas rentré! Géraldine avait attendu les deux
hommes jusqu'à une heure avancée. Hervé
était revenu seul. Pour se consoler sans doute
de l'absence insolite de son beau-frère, il
avait dû se livrer à une bordée dans les esta-
minets du village, car il était dans une véritable hébétude lorsqu'il avait regagné le
logis.

Il avait à peine eu le temps de préparer son
barda, car il embarquait au petit matin pour
rejoindre la flottille dont le *Cormoran* faisait
partie.

... Géraldine quitta l'appui de la fenêtre.
L'absence de Jean pesait à son cœur amer.
Pourtant, elle aurait été tentée de s'en féliciter; ainsi, il ne se rencontrerait pas avec
l'intrus.

Ah! celui-là, elle allait le balayer demain!

Et cela ne traînerait pas. Mais, d'ici l'aube, il fallait garder secrète cette importune présence pour ne pas réveiller l'aïeule, ni la jeune fille qui reposait déjà dans son lit clos.

III

Le chant du coq éveilla Stella qui ouvrit languissamment les yeux à la lumière de ce matin d'automne. Le décor l'accueillit comme une joie quotidienne et rassurante. Elle repoussa Sauve-qui-peut qui dormait dans le creux tiède de son épaule et dont la colère d'être dérangée s'exhala en un grognement hargneux, suivi d'un bâillement interminable qui montra jusqu'au tréfonds son palais rose de félin.

— Allez, chatte paresseuse! Il est temps de se lever. Ouste!

L'animal bondit à terre et se dirigea sans hâte vers la cheminée, traînant derrière elle, comme un invisible poids, sa dignité offensée.

Point émue, Stella posa ses pieds nus sur le tapis et les envoya à la recherche de ses pantoufles. Elles avaient glissé sous le lit, si loin que leur propriétaire dut finalement s'accroupir et étirer son bras pour les récupérer. Dans ses contorsions, elle fit basculer le vieux fauteuil en tapisserie où une roulette manquait et qui portait, soigneusement pliés sur son dossier, les vêtements de la jeune fille. Ces vêtements churent à leur tour sur le tapis fané.

« Décidément, rien ne va, ce matin!... » remarqua Stella en s'asseyant sans façon sur le sol pour enfiler ses pantoufles.

Ce manège avait fini de la réveiller; elle courut à la fenêtre et tira les rideaux. Ils étaient en taffetas « gorge de pigeon » et si élimés par endroits qu'ils en devenaient transparents. Stella n'en avait cure. Elle les fit glisser sur leur support. La baie apparut, rose vers le large, et, ici, d'un vert limpide et neuf. Par endroits s'étalaient les grandes taches violettes qui marquaient les champs sous-marins de goémons.

En face, le soleil brillait sur les tours démantelées de Castel-Pirate. Stella serra brusquement ses sourcils minces au-dessus de ses yeux vert de mer; par un rapprochement inattendu, elle pensait au voyageur qu'elle avait ramené la veille et qui parlait si légèrement du repaire maudit des Guilvinec. La présence dans l'île de ce personnage, à une époque aussi incongrue, l'intriguait. L'embarquer avait été pour elle une distraction : il n'y en avait pas tant à Roch-Manech.

Pourtant, Stella aimait la sauvagerie de Roch-Manech. Si sa jeunesse aspirait parfois à autre chose que cet horizon qui enfermait toute sa connaissance du monde, elle n'en avait pas conscience. Elle regarda par-delà la rive, là où la terre commençait avec ses maisons moins rudimentaires que celles de l'île, sa petite gare d'où s'évadait en sifflant le mince train noir qui s'en allait vers l'inconnu, le tertre planté d'ormeaux où, à la belle saison, les cars étincelants déversaient leur plein de touristes.

Tout cela lui faisait un peu peur. Elle n'aurait pas consenti de gaieté de cœur à abandonner Roch-Manech pour ces régions plus civilisées; mais elle s'interrogeait curieusement à leur sujet.

Jadis, quand son père vivait, il avait été question qu'elle irait à Rennes parfaire les études assez simplifiées commencées chez l'institutrice du village. Et puis, la guerre était venue, bouleversant la vie de chacun, et les projets, et l'ordre établi.

Stella avait travaillé avec le vieux prêtre qui avait remplacé l'abbé Garlic mobilisé. Il lui avait enseigné ce qu'il savait : l'harmonium et le latin, un peu de littérature et d'histoire. Pour le reste, elle s'était formée elle-même, par des lectures empruntées à la bibliothèque de la cure et, plus tard, avec les magazines achetés au bourg.

Il n'y avait pas de poste de radio à Maison Rousse. Marie Le Meur détestait les inventions nouvelles et n'avait même jamais consenti à faire de frais pour installer l'électricité. Stella ne savait donc du monde que ce que lui apportait le journal local.

Le capitaine Pascal Le Meur était mort pen-

dant l'invasion. Il avait été pris comme otage
et fusillé par les Allemands, parce que, maire
de Roch-Manech, il n'avait pas voulu livrer le
nom des îliens qui, en ces temps de famine
organisée et malgré la défense des occupants,
s'adonnaient à la pêche clandestine. Pour la
première fois, un Le Meur, descendant de ces
vieux gardiens de l'île qui avaient toujours
fait respecter la loi, était avec les contreban-
diers!

Cela lui avait, du reste, coûté la vie.

Après, on avait eu des heures très dures...
Le coup avait été très rude pour Marie Le
Meur : peu après le drame, sa première
attaque de paralysie la terrassait. Alors, la
maison avait paru privée de son âme. Jusque-
là, l'aïeule veillait encore à tout, dirigeait
gens et bêtes, mettait la plupart du temps la
main à la pâte. Maintenant qu'elle gisait
comme un arbre foudroyé, incapable de se
mouvoir, l'affolement gagnait la fourmi-
lière.

Géraldine, tremblant sans cesse pour son
mari absent, n'était bonne qu'à attendre interminablement des nouvelles qui n'arrivaient
pas. Stella était une enfant. Quant à Hervé,
cet adolescent aux yeux trop graves, buté et
farouche, il avait fallu l'envoyer dans une
ferme de Cornouailles, chez de vagues
parents, l'isoler jusqu'à la fin de la guerre. La
tragédie qui l'avait rendu orphelin avait déve-
loppé en lui sa violence native : il eût fait les
pires folies pour venger son père, ces folies

qui, à l'époque, coûtaient terriblement cher, non seulement à leur auteur, mais à toute la communauté.

Triste période sur laquelle Stella préférait ne pas s'appesantir. Elle abandonna la vitre où s'était attardée un instant sa songerie. Dans sa chambre, il y avait, pour tout appareil sanitaire, une commode-toilette dont le marbre cachait une minuscule cuvette basculante.

Mais Stella dédaignait ce souvenir désuet d'un temps révolu. Elle enfila son peignoir de cretonne — un envoi des « Dames Françaises » dont elle recevait périodiquement le catalogue — et courut à la buanderie où un cuvier, cerclé de fer, servait à ses ablutions quotidiennes.

Jaillie de la cuisine comme une balle, Caro l'entoura d'une frénétique ronde.

— Paix! Tu es toute folle, ma fille. Tu vois bien que je ne déjeune pas encore... je vais prendre mon tub.

Elle disparut derrière le rideau accroché aux poutres pour fermer un écran rudimentaire; Caro resta au garde-à-vous, tendant l'oreille et penchant comiquement la tête pour suivre les bruits qui venaient de la salle de bains improvisée.

Tout en faisant mousser sur sa jeune personne le rude savon qui servait aux lessives, Stella chantait à tue-tête; la buanderie donnait sur la cour et elle était assez éloignée des chambres pour que le tapage qu'on y pouvait

faire ne risquât pas de déranger le repos de
ceux qui dormaient encore au logis.

Un oiseau bleu, c'est le matin,
Le coq chante sur le village...

chantait la jeune voix rayonnante.

Le lapin bondit dans le thym,
Le merle mène grand tapage...
Et mon cœur bat éperdument...

Il battait sans doute tellement, ce petit
cœur, que sa propriétaire n'entendit pas le toc
toc frappé à la porte du réduit... Les oreilles
bouchées par le savon et les éclaboussements
d'eau, elle n'entendit pas davantage le pas
claudiquant qui accompagna l'entrée dans la
buanderie d'un personnage inattendu.

Ce furent les jappements de Caro qui l'aler-
tèrent. Elle souleva le rideau. Ses yeux ahuris
rencontrèrent une silhouette masculine et elle
laissa retomber précipitamment l'écran de
tissu avec un « oh! » de surprise éperdue.

L'intrus avait à peine eut le temps d'apercevoir sa petite figure stupéfaite que voilaient
des mèches mouillées et le haut nu de ses
jeunes épaules.

— Pardon, dit une voix confuse qui sonna
aux oreilles de Stella en notes déjà entendues.

Fébrilement, elle ajusta son peignoir sur
son corps qu'elle avait à peine pris le temps

de sécher et noua autour de ses cheveux un foulard écarlate.

— Qui êtes-vous et que voulez-vous? s'informa-t-elle, à la fois curieuse et indignée.

— Je crois bien que je me suis trompé de porte... dit l'homme, penaud.

— Vraiment! Et quelle porte pensiez-vous ouvrir?

Correcte maintenant, elle apparut, soulevant le rideau, la mine réprobative, l'œil circonspect.

— Qu'est-ce que vous voulez? dit-elle d'un ton rogue.

Son indignation s'accrut quand elle vit l'étranger qui, courbé vers Caro, lui caressait l'échine, traitement que l'animal semblait subir sans déplaisir, car ses jappements s'étaient transformés en une sorte de grognement continu et amical.

— Caro! s'exclama la voix réprobative de Stella.

Tandis que la chienne obtempérait à l'ordre, l'homme releva le buste. Dans sa main libre, Stella aperçut un broc, un honnête broc de faïence ébréché dont l'apparence lui était familière.

— Je ne sais pas comment m'excuser, dit l'étranger.

— Ah! ça, par exemple!...

La surprise de Stella fut si intense en identifiant dans cet individu son passager de la soirée précédente qu'elle manqua de choir, empêtrée par les allées et venues de la chienne qui tournait en rond autour de ses mollets. Elle fut retenue à temps par la main ferme de son visiteur. En même temps, elle s'était agrippée au rideau qui fut ainsi arraché à son support — un vieux balai suspendu par des ficelles — et montra, de façon tout intempestive, le cuvier empli d'eau savonneuse.

— Oh! mademoiselle, fit l'inconnu d'une voix suave, je vois que vous preniez votre bain... Je m'excuse vraiment de mon intrusion.

Stella serra les lèvres. Son menton se releva d'un air belliqueux.

— Parfaitement, je prenais *mon* bain, dans *ce cuvier*...

— Mais, mademoiselle, ce cuvier est un appareil très honorable pour prendre un bain. A la guerre, nous ne procédions pas autrement, quand nous avions la chance d'avoir un cuvier, évidemment.

Stella resta une seconde sans parler. Sans doute ne trouvait-elle pas tout de suite ce qu'il était séant de répondre. Soudain, elle répliqua d'un ton pointu :

— Je me moque de la façon dont vous preniez votre bain à la guerre, monsieur, je voudrais savoir ce que vous faites ici alors que vous m'avez quitté hier soir sur le port.

L'intrus fronça ses sourcils châtains au-dessus de ses yeux bleus si gais... Alors seulement, il feignit de reconnaître dans cette jeune diablesse en marmotte et peignoir du matin sa nautonière de la veille.

— Tiens... Ma passeuse! Comme on se retrouve!

Elle le toisa, furieuse :

— Vous ne manquez pas d'aplomb. Me suivre jusque chez moi!

La figure mâle et ironique exprima l'innocence méconnue.

— Moi? Et pourquoi, grands dieux, vous aurais-je suivie? Je n'ai pas le temps de jouer avec les petites filles.

Stella se hérissa, humiliée :

— J'ai vingt ans, vous savez?

Il eut un claquement de langue admiratif :

— Vingt ans et pas encore de cheveux blancs? Ni de rides? Vous n'avez pas besoin de béquilles?

La voix de Stella devint dure et martelée :

— Assez plaisanté. Qu'est-ce que vous faites chez nous?

Il montrait le broc qu'il n'avait pas lâché.

— Vous voyez, je suis à la recherche d'un peu d'eau. Chaude de préférence. Mais je me suis perdu dans les couloirs de cette antique demeure. A la voir de l'extérieur, on ne croirait jamais qu'elle offre tant de coins et de recoins. Que de place perdue!

L'air offensé de la jeune fille s'aggrava. Elle avait clairement conscience que cet ironique individu, sous son calme apparent, se jouait d'elle.

— Me direz-vous, articula-t-elle froidement, ce qui vous autorise à arpenter nos couloirs à cette heure matinale et...

Un éclair de colère indignée flamba dans ses yeux verts. Elle venait de s'apercevoir d'un détail, dont, dans le feu de la discussion première, elle ne s'était pas avisée : la singulière mise de l'homme.

Elle pointa vers lui un index accusateur :

— Et en pyjama encore!

Il reporta ses yeux innocents sur son vêtement de nuit, qu'on apercevait dans l'entre-bâillement de la gabardine qu'il avait négligemment jetée par-dessus ses épaules.

— Dame, c'est le seul vêtement nocturne que j'utilise. J'ai horreur des chemises de nuit. Pas vous?

Il la considérait avec suavité. Elle jeta autour d'elle des regards furieux, à la recherche d'un quelconque objet qu'elle pût lui lancer, mais il n'y avait que le malencontreux cuvier débordant de mousse savonneuse.

— Ne cherchez pas, dit-il gentiment, et rentrez vos griffes, jeune tigresse. Je ne tiens pas à vous exaspérer davantage.

Elle rougit de se sentir si bien devinée. Il continuait sur un ton bon enfant et amical :

— Allons, je veux bien vous éclairer... J'ai dormi dans la chambre verte.

— Ici? Vous avez dormi *ici*?

La stupéfaction apaisait sa colère. Elle précisa, perplexe et presque incrédule :

— Dans la chambre du coin?

— Qui a des rideaux de damas et un dessus de lit digne du grand siècle? Parfaitement.

Tandis qu'il parlait, elle l'examinait curieusement. La veille, dans l'ombre, elle avait à peine deviné ses traits. Elle s'étonnait de le trouver si jeune, avec ce regard décidé et hardi. Sa bouche large, prompte au sourire, s'ouvrait sur des dents espacées, d'un blanc étincelant. Cette peau de blond, piquée de taches de rousseur, gardait sous le hâle une finesse surprenante. Néanmoins, il y avait par instants, sur les traits irréguliers, une rudesse, une sorte d'âpreté presque inquiétante. Mais Stella était encore trop veuve, trop inexpérimentée, pour remarquer ce détail.

Il poursuivait :

— J'aurais même fort bien dormi, le lit est excellent, — encore que je n'apprécie pas beaucoup vos jolies boîtes sculptées, à la bretonne —, mais ma jambe m'a taquiné... un peu plus que de raison.

La fin de l'explication l'intrigua. Elle abaissa son regard et s'avisa que son étrange interlocuteur avait un pied nu. L'autre pied était correctement chaussé, mais la cheville nue paraissait exagérément enflée.

— Vous voyez, dit-il, piteusement, en désignant la chair tuméfiée, pas moyen d'enfiler ma chaussure. J'ai pensé qu'un bain d'eau chaude...

— Oh! exhala Stella, apitoyée soudain.

Elle se baissa et examina le pied malade, pendant qu'il protestait, confus :

— Voyons, mademoiselle, ne vous donnez pas la peine!... C'est moins que rien...

— Moins que rien! Mais vous avez une très mauvaise foulure.

Avec circonspection, elle avança l'index, toucha la cheville endommagée.

— Aïe!

Elle l'avait pourtant à peine frôlée, mais la réaction fut immédiate. Elle releva les yeux vers lui avec un air d'excuse. Il avait pâli, mais il continuait à sourire.

— Quand je l'aurai trempée dans l'eau chaude, et bandée étroitement, il n'y paraîtra plus, assura-t-il sans conviction.

— Ne croyez pas cela, fit Stella, péremptoire. Il y a certainement une déchirure du muscle... peut-être même plus grave pour provoquer une telle inflammation... Vous allez vous étendre, reprit-elle avec décision, et on va vous soigner. Si vous insistez et si vous vous entêtez à marcher, vous risquez de vous faire très mal. Appuyez-vous sur moi...

Elle l'avait pris par le bras. Il protesta mollement pour la forme :

— Je ne permettrai pas...

— Vous êtes ici chez nous. Alors, pour l'instant, taisez-vous et obéissez.

Se disant, elle le tirait en avant. Il ne put réprimer un cri.

— Là, vous voyez?... remarqua-t-elle, triomphante. Ne craignez pas de peser sur mon épaule. Je suis solide, vous savez.

— Euh!... je m'en aperçois. Du reste, à la façon dont vous maniez les avirons, on se doute que vous n'avez pas des muscles en pâte à beignets!...

— Accrochez-vous à la porte... tenez-vous au chambranle... à ce dossier... Là!... Etendez-vous maintenant...

L'un soutenant l'autre, ils étaient arrivés dans la chambre verte. Le blessé souffrait visiblement, encore qu'il gardât intacte sa mine réjouie, mais la sueur perlait à ses tempes.

Lorsqu'il fut étendu, sa jambe bien à plat sur la méridienne qui s'offrait fort à propos devant la fenêtre, Stella examina avec attention la foulure.

— Pas question que vous marchiez, conclut-elle. Je vais mander M. le curé.

Il la considéra, ébahi.

— Miséricorde! Vous ne pensez pas que ma dernière heure est déjà venue?

Elle éclata d'un rire jeune et frais.

— Rassurez-vous, ce n'est pas pour vous administrer l'extrême-onction que je fais appel à notre curé. Mais il a fait la guerre comme infirmier. Il est un peu médecin et, comme l'île manque de docteur, c'est toujours à lui qu'on s'adresse en cas de besoin.

— Ah! bon! Vous me réconfortez.

Ce rire les avait rapprochés. La glace fondue, ils se regardaient avec sympathie.

— Et maintenant, ne bougez plus, intima-t-elle gentiment, en étendant sur ses jambes une couverture qu'elle était allée prestement prendre sur le lit défait.

— Vous êtes un vrai tyran.

— Il ne fallait pas vous fourrer dans mes griffes, répliqua-t-elle en le menaçant du doigt.

Puis, son œil redevenant soupçonneux :

— Au fait, vous ne m'avez toujours pas dit par quel hasard vous aviez passé la nuit dans cette chambre?

— J'ai trouvé une bonne âme qui n'a pas voulu me laisser coucher sur la lande.

— Ma sœur?

— Celle belle dame hautaine et sévère qui ne vous ressemble pas, serait-elle votre sœur?

— Evidemment. Et qu'a dit Anaïs?

— La vieille bonne qui a l'air de sortir d'un conte de Dickens? Elle m'adore...

— Vous avez de la chance, elle est plutôt bourrue et ne prodigue pas ses sympathies.

La grimace que la douleur arracha au visage de son interlocuteur la rappela au sentiment du devoir.

— Attendez! dit-elle, je reviens.

Elle s'évanouit comme une sylphe. Il sourit, amusé... et puis, tout à coup, le sourire disparut de ses lèvres. Il regarda la porte d'un œil

pensif... Progressivement, ce regard devint
dur et glacé, et il se mit à frictionner sa
jambe malade d'un geste mécanique.

Lorsqu'elle réapparut, elle était rose et animée. Elle portait précautionneusement un
baquet plein d'eau chaude, les bras arrondis,
détournant légèrement son profil pour éviter
les vapeurs qui montaient du récipient.

— Mettez votre pied là-dedans... ordonna-t-
elle, tout en manœuvrant pour l'aider.

— Ouille! C'est chaud!

— Ce n'en sera que plus efficace.

— Quelle tortionnaire!

— Je n'ai pas envie de vous garder ici
jusqu'à l'an prochain, faute de pouvoir mouvoir votre cheville.

— Ah! bon... c'est là le secret de votre sollicitude, remarqua-t-il, feignant le dépit.

Elle rit gentiment.

— Ne vous frappez pas, je suis moins rude
que je n'en ai l'air.

Il eut envie de lui dire qu'elle n'avait pas
l'air « rude » du tout et qu'il la trouvait fort
plaisante, au contraire, avec sa fraîche et
robuste jeunesse, encore si ingénue. Mais
quelque chose lui ferma la bouche et il se
renfrogna soudain, tandis qu'elle quittait la
pièce en courant.

Un quart d'heure plus tard, il la vit traverser la cour. Elle portait la cape qu'il connaissait déjà. Elle dut prendre une bicyclette dans
l'appentis, car, après l'avoir perdue de vue, il
la repéra à nouveau, juchée sur un vélo et

pédalant allégrement. Le vent s'engouffrait
dans son vêtement, mais elle ne s'en souciait
pas apparemment. Bientôt, le coude du chemin la lui déroba.

Il hocha la tête et s'absorba dans une
intense méditation. Il semblait en proie au
trouble et à l'incertitude. Un long moment, il
contempla, à travers la fenêtre ouverte, la
masse écrasante du castel qui se profilait à
l'horizon.

IV

Géraldine était allée à la messe matinale avec Anaïs. Puis, tandis que la servante partait aux provisions, elle était passée au bureau de poste dans l'espoir d'y trouver un message de Jean. Mais dans le lot minuscule qu'emportait le sac du facteur, il n'y avait ni lettre, ni télégramme pour Maison Rousse.

Elle serra les lèvres de dépit. Était-il possible que Jean ait si peu de considération pour elle qu'il ne daignât même pas s'excuser quand il ne rentrait pas à la maison?... Ah! comme la guerre avait changé les hommes... Celui-ci n'était plus le même depuis qu'il était revenu...

Elle avait du mal à reconnaître dans ce garçon taciturne, maussade et concentré, le brillant compagnon qui l'avait séduite. Certes, si le père vivait, il aurait beau jeu à égrener le chapelet amer des « je te l'avais bien dit »... La vérité est que personne dans la famille, même pas Hervé, n'avait accueilli de bon cœur le promis qu'elle s'était choisi.

Un « courtier en meubles », comme ils

disaient dédaigneusement... Une fille de
marins s'amouracher d'un marchand!...
N'empêche qu'elle n'eût pour rien au monde
épousé un des leurs. Ah! elle avait trop vu sa
mère s'épuiser en désespoirs silencieux à
chaque départ des hommes, — époux ou enfant, — elle avait trop senti la tristesse, les
difficultés et les hargnes de son existence solitaire pour souhaiter le même destin.

Pendant que l'homme est en mer, c'est la
femme qui cultive le champ, tond les moutons, bêche la tourbière. Est-ce une vie?

Jean savait gagner son pain, sans se livrer à
ces besognes rebutantes. Il lui suffisait
d'entrer dans une ferme, d'examiner sans en
avoir l'air un meuble laissé à l'abandon, de
dénicher un vieux coffre à blé au fond de la
grange ou d'aller enchérir dans une vente... Il
était vêtu comme un monsieur de la ville,
portait des chemises de soie, des cravates, et,
quand il l'étreignait, ses mains blanches ne
sentaient pas le varech, ni le goudron.

Pourquoi fallait-il qu'il y ait eu cette horreur de guerre pour les empêcher d'être heureux? Ils s'étaient mariés à la veille des hostilités, Géraldine n'avait même pas pu étrenner
le beau mobilier retenu à Rennes et qui devait
orner leur futur appartement. Au lendemain
de leur mariage, la guerre les avait séparés.
Pendant de longues et déchirantes années, ce
qui restait de jeunesse à la *presque* vieille
fille qu'elle était alors — elle avait près de
trente ans lorsque Jean et elle s'étaient

connus — s'était effrité au long des jours sans
couleur — les jours et les nuits d'attente et de
désespoir.

Son père avait été arrêté... et condamné. Et
elle ne savait pas, dans le silence où la laissait
son mari, elle ne savait pas si le deuil qu'elle
portait n'était pas *aussi* un deuil de veuve. Et
puis, brusquement, le cauchemar se terminait.
Toutes les cloches sonnaient sur le pays et,
avec les autres hommes, Jean avait reparu.

De sa longue absence, elle ne savait qu'une
chose, c'est qu'il avait été prisonnier et dans
l'incapacité de donner de ses nouvelles. De
son retour, elle ne voulait connaître qu'une
chose : sa présence, c'est-à-dire sa chaleur,
son odeur retrouvée, sa voix câline, la lan-
guide douceur de ses yeux et l'étreinte de ses
bras forts autour de sa taille défaillante, tout
ce à quoi elle avait aspiré pendant les heures
brûlantes de fièvre et de désarroi.

Enfin, ils allaient pouvoir réaliser les rêves
de leurs lointaines fiançailles, vivre, s'épanouir... oublier les deuils et les détresses...

Espoirs légitimes... mais aussitôt déçus. On
aurait dit que le cœur de Jean lui était
devenu étranger.

Géraldine secoua la tête avec rage. Une
sourde jalousie la mordait. Y aurait-il une
autre femme dans la pensée de son mari? On
citait tant de ménages que la séparation avait
brisés... Ne lui avait-il pas dit récemment,
dans une de ses crises de cafard, qu'il avait
envie de « tout laisser tomber » et de s'embar-

quer sur un long-courrier pour une destina-
tion inconnue.

Tout... c'est-à-dire sa femme, son foyer, et
ce travail qu'il avait aimé et qui lui semblait
aujourd'hui ingrat et rebutant. Il se réadap-
tait mal à la vie. Et il n'était plus question de
partir s'installer à Rennes, dans la joie et
l'enthousiasme d'une lune de miel retardée.

Au surplus, les projets, si proches autrefois,
s'avéraient aujourd'hui rêves irréalisables. La
situation avait changé. Jean gagnait beaucoup
moins qu'avant guerre. Les logements en ville
étaient introuvables. Et enfin, aussi égoïste
que fût Géraldine, elle ne pouvait abandonner
cette maison endeuillée et cette aïeule impotente à la seule responsabilité de Stella.

Mais le joug lui pesait souvent et lui aigris-
sait le caractère jusqu'à la rendre acariâtre, et
parfois peu tendre, vis-à-vis de sa cadette. De
plus, elle détestait sa vie routinière : le jardi-
nage, les longues veilles devant l'âtre, l'odeur
de la tourbe, des feux de bois, de la terre
brune et du varech, le tricot à longueur de
soirée, tandis que le cerveau moud des pensées pessimistes, la parcimonie à laquelle
était contrainte la famille Le Meur, jadis
riche et considérée.

Elle leva des yeux pleins de rancune vers
les hautes tours grises dont la masse impo-
sante écrasait toute l'île. Toute son enfance,
elle avait entendu maudire cette maléfique
puissance qui, durant des siècles, s'était oppo-
sée à l'essor des siens et à leur tranquillité.

Depuis que Rodrich, sire de Guilvinec, avait
fait pendre Yves Le Meur, officier de police
du roi, à ses créneaux, une haine indéraci-
nable dressait toujours les deux familles l'une
contre l'autre, chacune cherchant tour à tour
à établir sa maîtrise sur l'île, qu'elle considérait comme son fief. Le temps avait pu passer
sur les drames, la race détestée s'évanouir
dans l'inconnu, le castel, tombé en ruine, on
n'en restait pas moins ennemis.

Et cette haine couvait, toujours vive, au
cœur amer de Géraldine qui rendait les Guilvinec responsables de son esclavage sur cette
terre où elle semblait être attachée par d'invi-
sibles chaînes.

Elle poussa la porte vermoulue qui ouvrait
sur le clos et son regard s'attarda sur une des
fenêtres aux vitres anciennes dont un carreau
était brisé. Anaïs l'avait remplacé par un
morceau de carton bitumé qui faisait une
tache noire. Géraldine soupira, excédée. Cette
année encore, on ne pourrait faire les répara-
tions nécessaires!...

Comme elle pénétrait dans la salle, un bruit
de voix lui parvint. Elle aperçut une robe
noire dans le couloir mal éclairé qui menait
aux chambres et, presque aussitôt, surgit
l'abbé Garlic, le curé de Roch-Manech. Il était
escorté de Stella qui portait sa trousse avec
une gravité solennelle.

Géraldine fronça le sourcil, alarmée.

— Qu'y a-t-il? Grand-mère?

Stella lui jeta au visage :

— Grand-mère va très bien, c'est Anaïs qui l'habille. J'étais occupée à d'autres soins.

Elle souriait mystérieusement, Géraldine remarqua combien elle paraissait jeune et fraîche avec ses yeux limpides et sa bouche entrouverte sur ses dents éclatantes.

Le prêtre achevait de la rassurer.

— Dieu merci! ce n'est pas pour Mme Le Meur que je suis ici... A la vérité, je ne l'ai pas encore vue et je me propose de lui faire une courte visite dès qu'elle pourra me recevoir.

Les yeux étonnés de Géraldine allaient de la trousse noire de pharmacie à la boîte de pansements.

— Mais qu'y a-t-il donc, monsieur le curé, pour qu'on ait requis vos services?

Le sourire de Stella se fit malicieux.

— Eh bien! c'est à cause de ton pensionnaire qui s'offre une foulure à la cheville droite. M. le curé vient de le panser. Il paraît qu'il y en a au moins pour quinze jours, acheva-t-elle d'un ton presque triomphant. Si aucune complication ne survient...

— Mon... pensionnaire?...

La mine de Géraldine frisait l'hébétude. Elle sourcilla. Sa voix devint plus sèche.

— Vous ne voulez pas dire que l'homme qui a couché ici cette nuit... est *encore* sous ce toit?

— Il eût été bien empêché d'en partir, le pauvre, déclara le prêtre avec bonhomie. Sa cheville est si enflammée qu'il ne peut pas poser le pied à terre.

— Mais il faut qu'il s'en aille! Tout de suite! clama Géraldine sur un diapason tout à coup si aigu que sa sœur la dévisagea avec inquiétude.

— Pourquoi? se hérissa Stella. Dans la chambre verte où on l'a logé, il ne gêne pas.

— Nous ne pouvons pas le garder une minute de plus! s'exclama Géraldine qui semblait hors-d'elle. Si grand-mère savait...

— Et après? coupa la cadette d'un ton de blâme, en considérant Géraldine avec une surprise pleine de reproche. Ce n'est pas grand-mère qui s'opposera à ce que nous remplissions nos devoirs d'hospitalité envers un étranger malade et que tu as toi-même accueilli, souligna-t-elle avec intention. Je me charge de lui expliquer la chose.

Géraldine leva les bras au ciel.

— Quinze jours!... Vivre quinze jours près de cet individu?... C'est de la démence.

— Je ne comprends pas ton affolement, objecta sa sœur, perplexe et un peu choquée. Je m'occuperai de lui avec Anaïs, si tu as peur que la présence de cet étranger te donne trop de mal. C'est le touriste que j'ai passé hier soir, expliqua-t-elle, persuasive. Il ne connaît personne dans l'île et maintenant qu'il a atterri chez nous, qu'il est blessé et dans l'impossibilité de bouger, on ne peut le rejeter dehors comme un chien!...

Géraldine manifestait une nervosité croissante.

— Il n'y a qu'à faire venir une ambulance.

Stella la considéra avec ironie.

— Une ambulance? Tu comptes que je pas-
serai une ambulance sur ma barque?

— On le transportera sur une civière. Cela
s'est déjà fait.

— On le transportera... Où ça? Au bourg? Il
n'y a pas d'hôpital. Il faut aller à trente-cinq
kilomètres. Et les services des hôpitaux de
Quimper et autres lieux ne vont pas se déranger pour une simple foulure.

— On enverra l'homme à l'auberge.

— Le père Corentin est absent, formula
doucement le prêtre. Il marie sa fille à Quimper. Il est parti samedi dans le canot de
Jodyer.

— Je sais, coupa impatiemment Géraldine.
Mais cela implique-t-il que nous soyons tenus
de transformer cette maison en clinique et d'y
héberger le premier venu?

L'abbé Garlic ouvrit les bras.

— Je ne vois pas d'autre solution. La
charité chrétienne vous impose ce petit sacrifice.

Géraldine se mordit les lèvres. Elle fut sur
le point de répondre vertement que la charité
chrétienne n'allait pas jusqu'à exiger qu'on
reçût chez soi des ennemis jurés. La présence
de Stella, inquiète et attentive, l'incita au
silence. Allait-elle démasquer la personnalité
de leur hôte?

Elle entrevit de multiples complications.

Grand-mère, mise au courant, la tancerait d'avoir ouvert sa porte aussi inconsidérément. Qui sait? Elle en aurait un coup de sang. Et d'autres fâcheux incidents pouvaient se produire dans le cas où Jean surviendrait. Bref, elle résolut de rengainer pour l'instant ses révélations.

Mais elle avertirait le prêtre.

S'imaginant l'avoir persuadée, Stella lui confia le soin de reconduire l'abbé, pressée qu'elle était de courir vers la cuisine préparer elle-même cette décoction de feuilles de noyer dont l'infirmier bénévole lui avait dit le plus grand bien pour les foulures.

Géraldine, dès qu'elle fut assez loin des oreilles de sa cadette, prit fiévreusement son compagnon à partie :

— Savez-vous *qui* vous m'obligez à garder sous notre toit, monsieur l'abbé? souffla-t-elle d'un air dramatique.

— Mais... Non...

— Gordon Guilvinec!

L'incongruité de ce nom n'apparut pas tout de suite au prêtre qui rapprocha ses sourcils grisonnants, cherchant dans sa mémoire à quoi il pouvait bien se rapporter.

Soudain, il sursauta.

— J'y suis... le pirate!...

— Son descendant, tout au moins.

— Par quel hasard? s'ébahit l'abbé.

— Eh! le sais-je?... Cet individu est venu hier soir me demander l'hospitalité. Il prétendait ne savoir où loger... et, mon Dieu, la

soirée était avancée, j'ai accepté de le recevoir. Lorsque j'ai su, il était trop tard pour
fermer ma porte.

L'abbé hocha la tête, perplexe.

— Il est évident que cela est fâcheux. Mais
que vient faire ce jeune homme dans l'île? Je
ne pense pas qu'il ait l'intention de recons-
truire le castel. Ce n'est plus qu'un refuge bon
pour les corneilles et les oiseaux de nuit.

— Justement, sa présence est louche. Vous
comprenez maintenant que je veuille me
débarrasser de lui, à tout prix?

— Malheureusement, je crains que cela ne
soit pas possible tant qu'il est dans cet état.

— Mais enfin, monsieur l'abbé, nous ne
sommes pas obligés de ramasser toute la
racaille qui se présente à notre seuil?

— Néanmoins, le fait que vous l'ayez
accueilli vous crée des devoirs. Cet homme est
réellement blessé et il serait inhumain de le
rejeter à la rue.

Elle se lamenta :

— Si elle apprend les faits, grand-mère ne
me le pardonnera pas. Sans compter qu'il y
aura de la bagarre avec mon mari. Nous ne
plaisantons pas avec les sentiments, dans la
famille. Les hommes de Maison Rousse ont
une vieille dette à régler avec ceux du castel.
Il y aura une tragédie sous ce toit, je vous en
avertis! clama-t-elle sur un ton de sombre
prophétie.

Apaisante, la main de l'abbé Garlic se posa
sur son bras.

— Allons, allons, n'exagérons pas, madame
Géraldine. Cette histoire est assurément
ennuyeuse et il eût mieux valu, certes, ne pas
introduire ce garçon ici; mais à l'heure
actuelle, il ne sert à rien de récriminer. Personne ne vous oblige, en somme, à révéler
l'identité de ce jeune homme. Vous en serez
quitte pour vous montrer très prudente et cir-
conspecte pendant les quelques jours où le
blessé demeurera sous votre toit. Dès qu'il
sera sur pied, il disparaîtra sans vous causer
plus d'ennui. Il n'a pas l'air d'un mauvais
bougre.

La colère de Géraldine n'était pas épuisée,
encore que les arguments du prêtre aient un
peu calmé son émoi.

— C'est égal... Quand je pense que ma
sœur soigne ce personnage... qu'il reçoit notre
hospitalité, j'enrage!

— Mais il est peut-être très bien, ce garçon... Vous ne le connaissez, en somme, qu'à
travers une vieille haine.

— Peuh! Bon chien chasse de race. Rien de
bon ne peut nous venir de cette race de bandits.

— Voyons, plaida l'abbé, il n'est pas responsable des querelles qui ont jadis divisé vos
deux familles.

L'œil froid de Géraldine flamba soudain.

— Divisé? Vous voulez dire *dressé, armé*...
Tous les nôtres ont eu à souffrir de cette
engeance maudite. Allez donc au cimetière de
l'île. Vous y verrez les noms de tous les

Le Meur qui ont perdu la vie dans le combat
contre ces pirates. Depuis des siècles, les
nôtres ont représenté l'ordre établi, la loi, le
devoir en face de leur banditisme. Malheureusement, nous n'avons pas toujours eu le
dessus.

— Ce serait trop beau si le bien triomphait
toujours du mal, philosopha le prêtre, mais il
suffit qu'en définitive ce soit le bien qui
l'emporte. Et qui sait si Gordon Guilvinec n'a
pas pour mission de racheter les fautes de ses
ancêtres?

— Votre mansuétude vous égare, monsieur l'abbé. Je n'en crois pas un mot. Est-ce
que les tigres se changent en moutons, dans la
jungle?

— Les hommes ne sont pas des tigres...

— Mais les Guilvinec sont une race de
chacals, fourbes et cruels, voilà la vérité,
monsieur l'abbé!... En tout cas, conclut-elle
sourdement, puisqu'il n'y a pas moyen de se
dérober à cette triste obligation, puisque
Stella a assumé la charge d'infirmière auprès
de cet individu, je la laisserai accomplir sa
tâche, encore que je ne sois pas sûre qu'elle la
mène jusqu'au bout, s'il s'avise de lui révéler
qui il est... Mais qu'il ne compte pas sur moi,
ni sur Anaïs; nous ne pénétrerons même pas
dans la pièce où il respire. Et fasse le Ciel que
les hommes de cette maison — que ce soit
mon frère ou mon mari — ne se trouvent pas
en sa présence, car, s'ils l'identifiaient, je ne

réponds de rien, acheva-t-elle, grandilo-
quente.

L'abbé Garlic sourit avec indulgence. Il
savait quelle exaltation le vent du large soufflait sur ces âmes sauvages.

— Dieu nous épargne cette redoutable
conjoncture! dit-il, en prenant congé

V

— Là, grand-mère!... La boîte de pastilles...
la tasse de tisane sur la lampe... Quel joli
bonnet on portait de votre temps! N'ai-je pas
trop serré les brides?

Grand-mère sourit. Elle a un faible pour la
dernière de ses petites-filles. Elle parle le
moins possible, par crainte d'épuiser ce peu
de vie fragile qui reste au fond de son corps
usé. Et puis, ces années aidant et sa maladie,
elle a un peu perdu de sa combativité. Tant
de deuils et de déchirements ont entamé cette
réserve d'austérité qui avait imposé si longtemps à Maison Rousse son atmosphère.

Tassée au fond du lit clos que recouvre un
couvre-pieds à fleurs, aux dessins charmants
et désuets, elle regarde évoluer cette blonde
fille, solide et fraîche, qui lui ressemble telle
qu'elle était au temps de sa jeunesse... qui lui
ressemble avec plus de douceur et de
gaieté.

Depuis des années, Marie Le Meur ne quitte
plus cette chambre, son domaine, où la piété

de ses proches a ressemblé tout ce à quoi elle tient sur cette terre : le crucifix de cuivre au-dessus de son lit, sa couronne de mariée, sous globe, et, posé sur son socle, le beau voilier quatre mâts que son aîné avait taillé pour elle au cours de son premier voyage.

Il y a aussi, épars sur les murs, les portraits de tous les parents qu'elle a connus et dont elle est la dernière : Yvon, son grand-père, celui qui a péri dans la goélette de la police en se lançant aux trousses de Théodore Guil-vinec... Et Raymond, le fils, qui a réussi à capturer le pirate et à le faire envoyer aux galères. Il est vrai que, par représailles, le fils de Théodore, Jack, a attendu Raymond, un soir de brume, sur le chemin des contreban-diers et il l'a abattu d'un coup de carabine...

Du côté des Le Meur, la riposte ne s'est pas fait attendre : Jack a été pris à son tour par les deux frères de Raymond. Il a terminé ses jours à Saint-Laurent-du-Maroni.

Et puis, il y a eu Joël Guilvinec, le petit-fils, celui qui aurait dû poursuivre la vendetta. Joël... Avec lui, qui s'embarqua un soir d'automne pour le continent, fuyant les res-ponsabilités sanglantes et l'atmosphère fa-rouche, il semble que s'est éteint l'antago-nisme héréditaire.

Jamais plus les Guilvinec ne mirent le pied sur le sol de l'île et le clan des Le Meur, triomphant, vit peu à peu s'engourdir sa haine, comme s'est écroulé, effrité par les jours, le vieux repaire des pirates.

Ces pensées ont ramené Marie Le Meur au temps de sa jeunesse. Sa mémoire affaiblie évoque à présent la fillette qu'elle fut, celle qui courait sur la lande, ses cheveux lui battant l'épaule et sa robe blanche dansant autour de ses mollets brunis...

Cette image de sa lointaine jeunesse la ramène tout naturellement à celle qui se dresse, tangible et charmante, devant ses yeux. Ah! Stella est bien de sa race. Il y a, dans son port et dans la fierté souple de sa silhouette, quelque chose d'aristocratique. Et ses tresses blondes, enroulées autour de sa petite tête fine, lui donnent une grâce de statue.

Elle chuchote :

— Dis-moi, petite, comment va-t-il, ce garçon dont tu t'es instituée l'infirmière?

Les yeux de Stella pétillent.

— Il doit être bien marri de ne pouvoir bouger de sa chambre?

Stella rit, d'un rire plein de gaieté malicieuse.

— Oh! il jette feu et flamme. Et je n'ai réussi à obtenir qu'il se tienne tranquille qu'en le laissant jouer de la flûte.

— Et il en joue bien, opine l'aïeule. Tu laisseras encore la porte ouverte pour que je l'entende... Jadis, j'ai connu, en mon temps, un garçon qui jouait aussi de la cornemuse... rêve-t-elle d'un ton radouci.

Stella esquisse une moue.

— Anaïs n'est pas de votre avis, grand-

3

mère. Elle n'arrête pas de pester à propos de notre hôte et fait chorus avec Géraldine. On dirait que la présence de Gordon est une calamité. C'est pourtant elle qui l'a introduit ici, le premier soir, remarque-t-elle, perplexe.

Mme Le Meur émet :

— Géraldine n'aime pas voir bouleverser ses habitudes.

— Mais elle n'a rien changé à ses habitudes, pas plus qu'Anaïs, du reste. Oh! grand-mère, elles sont si peu pitoyables, si vous saviez, si peu charitables vraiment que j'en reste confondue. Croiriez-vous qu'Anaïs ne veut même pas lui apporter son plateau? C'est à peine si elle consent à lui préparer son repas... et c'est moi qui le sers.

Grand-mère demande, le sourcil froncé au-dessus de ses yeux restés agiles :

— Et que dit ce... Gordon, d'être servi ainsi par la fille de la maison?

— Oh! il est tout confus. J'ai l'impression que cela le gêne. Au début, il ne voulait pas. Il parlait de faire apporter les repas de l'auberge. Mais le père Corentin était absent — vous savez qu'Annik s'est mariée à Quimper? — et l'auberge restait fermée. Alors, il a accepté d'être ravitaillé par moi, à condition qu'il paierait sa pension.

— C'est assez naturel, remarque la vieille dame, mais tout cela doit t'occasionner un surcroît de travail et de fatigue, ma pauvre enfant.

— Bah! dit insoucieusement Stella, je n'ai

pas tant à faire à cette époque. Et puis, il est
vraiment *très* gentil...

Le regard de l'aïeule, soudain plus vif sous
la dentelle du bonnet, s'appuie sur elle avec
insistance.

— Stella, que sais-tu de ce jeune homme?

La question semble dérouter Stella. Debout
contre la fenêtre, elle regarde la longue lame
de lumière qui, par la fente d'un nuage,
tombe obliquement sur la mer. Quand elle
parle, sa voix est rêveuse, comme ses prunelles.

— Je le trouve sympathique. Et — elle a de
la peine à exprimer sa pensée — j'aime parler
avec lui. C'est drôle.

Elle tourne vers le lit clos son petit regard
pensif.

— Il ne me pose aucune question... Il ne me
demande jamais rien. Et, pourtant, j'éprouve
le besoin de lui parler de moi. Il me semble
plus proche que tous les êtres avec qui j'ai
l'habitude de vivre : Géraldine, Anaïs, Jean...
Est-ce que c'est mal, grand-mère?

Anxieuse, elle s'est rapprochée du lit clos.
La main ridée se tend vers elle, rassurante.

— Tu mènes ici une existence bien solitaire, Stella. Il est naturel que la jeunesse de
ce garçon attire ta jeunesse.

Une joie étrange pénètre Stella. L'approbation de Marie Le Meur la délivre d'un souci
latent. Elle était presque effrayée de se sentir
poussée avec tant de force vers cet étranger
que le hasard a conduit sous leur toit. Depuis

qu'il est dans la maison, elle lui consacre le plus clair de son temps, et ces heures qu'elle passe auprès de lui sont les plus gaies et les plus légères de toutes celles qu'elle a connues...

Mais puisque grand-mère trouve cela naturel, alors... elle peut donc se laisser aller sans remords à son inclination, malgré les airs réprobateurs d'Anaïs et le blâme silencieux, mais combien significatif, de Géraldine.

Allégée, elle court à la cuisine chercher le déjeuner de son pensionnaire.

— Anaïs, que lui as-tu fait ce matin?

Anaïs tourne vers elle une figure enflammée, sans doute par l'ardeur du fourneau.

— Des œufs au lard et de la marmelade, déclare-t-elle d'un ton rogue.

Stella inspecte le plateau, flaire, soulève le couvercle du pot...

— Est-ce de l'orange... celle qu'il préfère?

Anaïs repose brusquement le crochet du feu, comme si elle voulait ainsi exorciser l'envie qu'elle a de pourfendre quelqu'un.

— Ouais! Et du train dont il y va, nous n'en aurons bientôt plus dans la maison.

Les sourcils de Stella se rejoignent dangereusement au-dessus de ses yeux orageux.

— Tu mesures ce qu'il mange maintenant? Un blessé... Un convalescent!... jette-t-elle indignée.

— Je mesure... je mesure... Un convalescent qui a un appétit pareil? C'est à ne pas croire.

Que mange-t-il donc quand il est bien portant?

— Oh! Anaïs, que tu es mesquine!

Anaïs place ses mains sur ses hanches et éclate :

— Si j'avais su travailler pour ce galvaudeux, quand j'ai fait mes marmelades et mes gelées, elles seraient restées à l'état de fruits crus!...

— Et les fruits seraient pourris aujourd'hui. Tiens, Anaïs, tu deviens idiote.

— Et c'est à cause de ce pantin qui joue de la cornemuse et siffle comme un païen que vous m'insultez, mademoiselle Le Meur?

— Je ne t'insulte pas, mais je regrette que ma sœur et toi vous manquiez à ce point de charité. Quant à la cornemuse, c'est une flûte, si tu veux tout savoir, rétorque Stella, digne.

— Ah! parlons-en de la flûte! Mais, malheureuse, tu ne sais pas qu'il y a un maléfice sur cet instrument-là. Ignores-tu, ma doué, que le diable lui-même se déguise en joueur de flûte quand il veut faire un mauvais coup? N'as-tu pas entendu parler de cet homme qui avait entraîné tous les enfants d'un village vers la rivière, où ils furent tous noyés comme des rats?

Stella a pris le plateau et elle s'en va en claquant la porte. Anaïs est vraiment ridicule, avec ses contes de bonne femme.

... Installé sur son divan, dans la chambre du coin, Gordon la regarde entrer en souriant.

Il a bonne mine, les yeux clairs et les traits
reposés, encore que le pianotement continu de
ses longues mains maigres sur les coussins
dise sa nervosité.

— Vous êtes ma Providence! s'exclame-t-il
à l'adresse de l'arrivante.

Et il esquisse un mouvement rapide pour se
lever, en s'appuyant sur son pied valide. Elle
l'arrête d'une injonction suppliante :

— Non... ne bougez pas! Pas d'effort inutile. Votre infirmier a bien recommandé que
vous ayez encore un peu de patience.

— Mais... je vais très bien... C'est à peine si
je ressens encore une petite douleur...

— Raison de plus pour ne pas faire de
folies.

Sans écouter davantage ses récriminations,
elle rapproche la petite table de son chevet,
dispose le plateau. Il règne une bonne odeur
de lard grillé.

— Mmmm!... Vous me prenez par mon
faible. J'adore les œufs au bacon.

— Alors, régalez-vous...

Tandis qu'il mastique, elle le considère avec
attendrissement. Puis, elle va activer le feu et
jette dans les flammes un fagot de genévrier.
Elle prépare les mottes de tourbe. Ses gestes
sont vifs et habiles.

Rassasié enfin, Gordon la suit des yeux. Il
allume pensivement sa vieille pipe, sans interrompre son examen.

— Savez-vous qu'il y a exactement deux

semaines aujourd'hui que je suis immobilisé chez vous, Stella?

— Deux semaines déjà?

— Déjà est gentil. Comptez : je suis arrivé l'autre lundi. Nous sommes vendredi, si je ne m'abuse?

— Oh! voilà que vous comptez les jours? exprime-t-elle d'un air si désappointé qu'il se met à rire.

— Avouez qu'il n'y a là rien que de très naturel. Vous avez beau être la plus délicieuse des infirmières, je suis tout de même honteux et furieux d'être réduit à cette condition humiliante d'éclopé.

— Mais il ne faut pas! Où les hommes vont-ils nicher leur amour-propre?...

Il saisit la main qu'elle allongeait pour prendre le plateau.

— Avez-vous vu l'aubergiste? Peut-il donner une chambre?

— Que vous êtes entêté! Oui, j'ai parlé au père Corentin, mais c'est bien pour vous contenter.

— Alors?

Elle élude :

— La chambre n'est pas chauffée. Vous y serez très mal.

— Je ne suis pas une poule mouillée. L'essentiel, pour moi, est de vous débarrasser de ma présence.

Les yeux verts s'assombrissent. Elle le fixe avec chagrin.

— Vous vous ennuyez donc tellement chez nous?

Sous le regard lourd de reproche qui le dévisage, Gordon se trouble. Il se détourne et contemple machinalement l'éventail en coquillage qui orne la cheminée sculptée.

— Je ne m'ennuie pas. Mais, comprenez-moi...

Il parle avec une sorte de lassitude.

— Je ne peux continuer à vous importuner.

— Mais vous ne m'importunez pas! Au contraire.

Elle s'est exclamée avec une conviction si sincère et si désarmante qu'il ramène vers elle son regard bleu et sourit. Le sourire met infiniment de douceur sur sa face un peu dure, au repos.

— Vous êtes un amour de petite fille, Stella.

— Je ne suis pas une petite fille, se hérisse-t-elle. Je serai bientôt majeure et si Géraldine exauce son vœu qui est de partir avec Jean vers d'autres horizons, c'est *moi* qui dirigerai la maison et la ferme.

Le sourire s'évanouit aussitôt sur les traits de Gordon. Il demeure un moment sans parler, comme en proie à de sombres et lancinantes pensées. Puis, il prononce, au bout du lourd silence ·

— Votre sœur ne m'aime pas beaucoup, n'est-ce pas, Stella?

— Pourquoi dites-vous cela? s'enquiert-elle, embarrassée.

— Elle n'a pas pénétré dans cette pièce depuis le premier soir où elle m'a accueilli.

— Oh! atermoie Stella, Géraldine n'aime pas les nouveaux visages. Anaïs non plus. On est sauvage chez nous... Mais grand-mère est très contente que vous soyez ici, affirme-t-elle pour corriger l'impression qu'ont pu causer ses paroles.

— Ah! grand-mère est contente? Mais elle ne me connaît pas?

— Elle vous a entendu jouer. Elle a été charmée. Et puis, grand-mère aime tout ce que j'aime.

Il a un léger sursaut. Elle rougit, confuse soudain de ce que les mots ont pu trahir malgré elle de ses impulsions secrètes. Gênée, elle s'empare du plateau et le transporte jusqu'à la porte.

— Je reviens tout de suite, chuchote-t-elle, en disparaissant derrière le plateau de bois clouté.

Son départ a tout l'air d'une fuite.

VI

Les jours passaient, empoisonnés d'une nerveuse attente pour Géraldine dont l'humeur devenait plus sombre et plus silencieuse. Assise devant la fenêtre, un livre ouvert sur ses genoux, même quand il ne faisait plus assez jour pour lire, elle regardait la mer houleuse et les maisons de la côte s'enfoncer dans la brume. Elle méditait, soupçonneuse, rancunière, se livrait à mille hypothèses qu'elle abandonnait les unes après les autres... pour les reprendre un moment après.

Parfois, elle s'arrachait à sa rigide immobilité lorsqu'elle entendait le jeune pas vif de Stella ou sa voix fredonner une chanson. Qu'est-ce qu'il lui prenait à la cadette, d'être si gaie depuis quelque temps?

Incontestablement, Stella n'était plus la même. L'allégresse habitait son visage hâlé, plus coloré que de coutume. Ses lèvres étaient toujours prêtes au sourire et sa physionomie, d'habitude un peu fermée et farouche, s'attendrissait. La gaieté de son caractère, refoulée par les événements qui avaient assombri son adolescence, reprenait lentement le dessus et la grâce tendre de sa nature se faisait jour.

La présence de l'étranger et le travail supplémentaire que cette présence lui imposait avaient décuplé ses forces et sa jeune énergie. Elle aidait Anaïs au ménage, s'empressait à la cuisine. Tout reluisait dans la maison vétuste. Les bois sentaient bon la cire fraîche et les dentelles, sur les meubles, étaient raides d'empois.

L'abbé Garlic venait tous les jours. Il s'était acquitté avec beaucoup de science et d'habileté de sa tâche d'infirmier, malgré les protestations confuses du blessé qui aurait voulu qu'on fît venir à ses frais un docteur de la côte. Mais la tempête soufflait sur la mer, rendant la passe difficile. Quel médecin se fût hasardé à traverser pour un cas aussi simple qu'une entorse? Depuis que cette entorse allait mieux, l'infirmier bénévole continuait à venir pour tenir compagnie au patient. Les occasions de parler n'étaient pas si fréquentes dans l'île pour qu'on négligeât cette aubaine.

Géraldine, furieuse de voir se prolonger à Maison Rousse le séjour de l'hôte indésiré, le suivait de son regard revêche et méprisant jusqu'à la chambre verte, fief de Gordon.

Stella se précipitait sur ses talons... On entendait un murmure de voix, parfois coupé de rires, ou la musique exaspérante de la

flûte. Ces bruits insolites qui transformaient
l'atmosphère sourde et sévère de la vieille
demeure râpaient les nerfs à vif de Géraldine.

— Ah! quand s'en ira-t-*il*!... rageait-elle,
excédée, les mains crispées sur ses oreilles
offensées par ces odieuses rumeurs.

Sans compter que ce garçon ne se gênait
pas. On l'entendait siffler les vieux airs bretons que lui apprenait cette folle de Stella
qu'il avait ensorcelée.

L'aînée avait voulu mettre Marie Le Meur
de son côté et lui communiquer son irritation
au sujet de la présence de leur hôte. Elle avait
tenté de démontrer à l'aïeule qu'il n'était pas
sain ni convenable pour Stella de passer des
heures dans la chambre de ce garçon, sous
prétexte qu'il était impotent et qu'il fallait le
distraire.

— Je sais ce que c'est que d'être immobilisé, avait répondu la vieille dame, surtout
pour un être jeune et fort. En s'efforçant
d'adoucir son ennui, Stella remplit stricte-
ment les devoirs de l'hospitalité. C'est une loi
à laquelle personne n'a jamais failli chez
nous.

Géraldine s'était tenue à quatre pour ne pas
jeter à la tête de Marie Le Meur le véritable
nom de celui au profit de qui s'exerçait cette
hospitalité; car, pour l'aïeule, comme pour
Stella, l'étranger était « M. Gordon » et même
Gordon tout court. Les complications qu'elle
entrevit — en somme, c'était elle qui avait

introduit le loup dans la bergerie — lui fer-
mèrent la bouche.

Peut-être sa colère indignée eût-elle été un
peu apaisée, si elle avait pu deviner que ledit
Gordon ne supportait pas beaucoup mieux
qu'elle-même la claustration et qu'il rongeait
son frein avec une impatience tous les jours
accrue.

... Ce matin-là, il fit le petit tour habituel
de sa chambre pour réhabituer sa cheville. Il
s'aidait encore d'une canne que lui avait prê-
tée Stella. Il s'arrêta devant la fenêtre et
regarda au-dehors. Il avait l'air terriblement
soucieux et absorbé. Ses yeux, quand il cessait
de rire, avaient la dureté du métal. Un long
moment, il tint son regard attaché sur le paysage que dominait l'orgueilleuse tour du
Pirate.

Un lierre centenaire avait envahi la
muraille et formait une tapisserie d'un vert
sombre et touffu. On voyait à peine les petites
fenêtres, en forme de meurtrières.

C'était là, derrière ces ouvertures étroites,
que les Guilvinec avaient épié les bateaux, sur
la mer, avant de foncer vers eux comme des
oiseaux de proie. Et, d'ici, oiseaux vengeurs et
pareillement téméraires, les Le Meur s'étaient
élancés à leur tour. Mœurs sauvages que
celles de ce temps-là... Est-ce que celles
d'aujourd'hui avaient tellement changé? Est-
ce que les cœurs ne restaient pas les mêmes
— hardis ou couards, perfides ou violents —
sous l'enveloppe policée?

La porte s'ouvrit, interrompant la méditation solitaire de Gordon. La silhouette juvénile de Stella apparut sur le seuil. Elle portait
un pantalon bleu de pêcheur, rapiécé aux genoux, et un gros pull-over de laine rude, la
laine du pays qu'elle avait elle-même filée.

— Que diriez-vous d'une soupe de poisson?
s'enquit la voix joyeuse, toute vibrante d'un
orgueil ingénu.

— Montrez! dit Gordon.

Avec une exclamation triomphante, elle
vint placer sous son nez le seau où elle rame-
nait son butin.

— Regardez. C'est un congre. Enorme! Il
m'a donné du mal.

La bête était encore agitée de vagues sou-
bresauts.

— Beau travail, Stella!...

Ils s'appelaient Stella et Gordon. Cela
s'était fait tout naturellement, sans que l'un
ou l'autre s'en fût avisé. Ils eussent été bien
en peine de dire lequel des deux avait commencé. Ce devait être Gordon, à coup sûr. Il
avait la maîtrise et l'assurance un peu protec-
trice de l'homme. Elle avait suivi son
exemple, tout naturellement. Elle n'était pas
timide. Elle avait trop l'habitude de rôder
seule sur la lande et de louvoyer sur la mer,
de parler aux pêcheurs et aux marins, de
convoyer les touristes à la belle saison.

Tourné vers elle, il la regardait avec ce
sourire ironique et toujours un peu mystérieux qu'elle avait appris à aimer. Ses

cheveux, qu'elle avait négligé de tresser,
s'étaient emmêlés au vent de mer et ils pen-
daient, masse gonflée de sève, rutilants d'un
or chaud qui donnait envie d'y toucher,
d'étreindre leur écheveau soyeux et doux.

Quelque chose qu'elle perçut dans le regard
bleu porté sur elle la troubla. Elle dit précipitamment :

— Je vais porter ma pêche à Anaïs. Priez
le ciel qu'elle ne ronchonne pas trop et veuille
bien employer ses talents à la confection de
mon plat.

— Je vais surtout prier pour qu'elle ne
l'assaisonne pas avec du vitriol, déclara-t-il.

— Gordon... vous exagérez!...

— A peine. Je suis sûr que, pour Anaïs, je
suis le diable en personne.

— L'êtes-vous vraiment? dit-elle en le dévi-
sageant avec une candide audace.

— Bien sûr... Belzébuth en personne. Avec
toutes ses cornes. Hou! hou!...

Il agitait ses doigts au-dessus de son front
rieur.

Elle dressa les deux mains avec une épouvante qui n'était pas feinte.

— Oh! non... non... Gordon! Ne plaisan-
tez pas avec ces choses...

Il la retint comme elle faisait un mouvement pour s'enfuir.

— Vous m'aimeriez, si j'étais le diable?

— Oh! Gordon, qu'allez-vous chercher?

Elle eut une moue fâchée et ses yeux une
expression de désarroi. Il éclata de rire.

— Petite fille!

Elle rit à son tour, détendue.

Tandis qu'elle s'évanouissait, légère, dans les ténèbres du couloir, le rire disparut de la face de Gordon. Il se mit à manœuvrer sa cheville d'un air absorbé. De temps en temps, son œil bleu inflexible scrutait la porte que la jeune fille avait refermée derrière elle. Il se mit à siffloter, puis s'arrêta net. Il semblait en proie aux réflexions les plus ardues, comme s'il avait à résoudre un problème difficile, dont il n'arrivait pas à entrevoir la solution.

Il eut un haussement d'épaules, fit claquer ses doigts au-dessus de sa tête d'un air excédé. Puis, comme le pas de sa jeune hôtesse se percevait à nouveau, il changea instantanément l'expression de sa physionomie.

A son « entrez » tonitruant, elle se glissa dans la chambre.

— J'ai amadoué Anaïs, annonça-t-elle, triomphante. Elle va nous préparer une de ses recettes les plus succulentes.

— Magnifique! s'exclama Gordon avec plus d'enthousiasme qu'il n'en éprouvait vraiment.

Depuis qu'il était devenu le pensionnaire de Maison Rousse, il s'était bien rendu compte de la gêne qui régnait dans la maison. Stella s'ingéniait à varier la nourriture, mais, en dehors du poisson qu'elle pêchait elle-même, le menu se composait presque invariablement de pommes de terre et de laitages et de l'inévitable *fart*, si goûté des Bretons.

Il n'en avait cure. Sa vie extérieure lui avait appris la sobriété et à se contenter de ce que lui offraient les circonstances.

— Une partie d'échecs? proposa Stella.

Elle avait troqué son vieux pantalon contre une jupe de couleur vive qui tranchait comme un papillon brillant sur le fond de sombres draperies. Ses nattes, soigneusement refaites et massées autour de sa petite tête fière, la coiffaient d'un diadème princier. Il pensa qu'elle avait une incontestable race.

— Je suis confus d'accaparer tout votre temps à mon profit, dit-il.

— Mais mon temps est libre. J'ai une bonne heure avant mon cours de catéchisme.

Il ironisa, appuyant sur elle un regard amusé :

— Parce que... vous prenez des leçons de catéchisme?

— J'en *donne*, rectifia-t-elle, offensée, aux deux garçons et aux trois filles qui constituent la promotion de la paroisse de cette année.

Digne, elle tapotait les coussins de la méridienne. Puis, elle alla s'accroupir devant la cheminée pour alimenter le feu. Sa tête dorée brilla comme le reflet des flammes.

Il fit un geste pour l'aider à se relever, mais elle se redressa sans peine, avec la souplesse d'un jonc.

— Vous m'en voulez de vous taquiner, Stella?

Elle leva ses yeux clairs noyés de douceur

secrète. Déjà, sa bouche fraîche esquissait un sourire.

— Non, avoua-t-elle, vous êtes si gai! Et vos taquineries ne m'égratignent pas... comme celles de Jean, acheva-t-elle, après un temps de réflexion.

— Jean?

— Mon beau-frère...

— Ah! oui... celui qu'on attend tous les jours et qui n'arrive pas.

Elle le considéra avec perplexité.

— J'ai peur qu'il ne revienne pas, souffla-t-elle, songeuse.

— Comment ça? Comment l'entendez-vous?

Elle hochait la tête, préoccupée de son souci.

— Jean n'aime pas l'île et les îliens... Il les trouve arriérés, crédules, stupides. Ma sœur avait toujours pensé qu'après la guerre ils iraient habiter ailleurs. Je crois qu'il avait fini par lui faire partager son dédain à l'endroit de Roch-Manech.

— Pourtant, il y réside toujours?

— Oui, dit-elle pensivement... Depuis son retour, il ne parlait plus de partir. Peut-être à cause de la mort de papa et de l'infirmité de grand-mère, n'a-t-il pas voulu priver la maison de Géraldine?... Ses occupations le tiennent éloigné toute la semaine de Maison Rousse; mais, chaque fois qu'il y rentre, les samedis ou les jours de fête, il n'a aucun

entrain. Cela ne m'étonnerait pas qu'il ait
embarqué sans oser le dire à Géraldine.

— Embarqué? Pour où? demandait Gordon
avec un feint détachement.

— Pour l'Asie... ou pour l'Amérique... sur
un bateau qui l'emmènerait au loin et l'arra-
cherait à la routine de cette vie qu'il n'aime
plus. J'ai entendu un soir, déclare-t-elle sur le
ton de confidence, qu'il disait à ma sœur qu'il
s'engagerait comme soutier.

Elle haussa les épaules.

— Comme soutier! Avec ses mains blanches et ses cheveux brillantinés...

Cette image eut le don de l'amuser et elle
réprima un sourire moqueur.

— Ce sera un coup dur pour votre sœur,
s'il a réalisé ce projet, émit Gordon.

Elle redevint sérieuse instantanément.

— Certes... et pourtant... je ne crois pas
qu'il la rende heureuse, apprécia-t-elle avec
un air de soudaine gravité. Il n'est pas souvent là. Il ne lui écrit jamais lors de ses
absences et, quand il rentre, il est toujours
sombre et renfermé. Ah! ce n'est pas ainsi que
j'envisage le mariage...

Les yeux bleus s'égayèrent.

— Serait-ce indiscret de vous demander
comment vous envisagez le mariage, Stella?

Elle le fixa, puis détourna les yeux avec
une évidente confusion.

— Oh! je... je ne peux pas vous dire ça...
C'est... c'est personnel.

— Ah! bon... Pardonnez ma curiosité, jeune fille.

— Et d'abord, dit-elle avec reproche, comment vous parlerais-je d'une chose sérieuse : vous blaguez toujours...

— Le mariage est donc un sujet tellement sérieux?

Elle l'examina, choquée :

— N'est-ce pas sérieux d'engager toute sa vie?

— Vous avez raison, dit-il. Excusez mes sottes plaisanteries.

Il ajouta, au bout d'un petit silence pendant lequel elle s'était employée à remettre du bois au feu :

— Et vous, Stella, vous vous plaisez à Roch-Manech?

— Moi?

Elle lui offrit un visage étonné comme si la question n'avait pas de raison d'être.

— C'est un endroit merveilleux, n'est-ce pas? dit-elle, quêtant anxieusement son approbation.

Il se mit à rire :

— Vous n'en connaissez pas d'autre.

— C'est vrai, admit-elle, pensive. Il me semble que je n'en pourrais aimer aucun davantage.

Il y avait de la ferveur sur ses traits expressifs.

— Vous ne vous ennuyez jamais?

Elle parut stupéfaite. Comment eût-elle pu s'ennuyer? Elle possédait ce qui lui semblait être le plus beau paysage du monde. Elle avait le plus changeant des ciels, la mer, la roche, les fleurs de son jardin, les petites anémones au cœur tendre, l'odeur douce et salée des embruns.

Par les belles nuits d'été, quand les nuages ne cachaient pas les étoiles, elle regardait danser sur les vagues les lumières des bateaux et, lorsque la tempête se déchaînait sur la côte, il faisait bon se sentir à l'abri dans la maison tiède.

Pendant qu'elle dévoilait ainsi pour lui, avec des mots bien à elle, l'intimité de sa vie, Gordon écoutait, attentif.

— De sorte que vous ne voudriez pas quitter votre île?

— Oh! non!

Ses yeux rencontrèrent l'autre regard. Elle se troubla, rougit... L'indécision se fit jour sur ses traits mobiles.

— C'est-à-dire...

Son embarras augmenta. Elle se hâta de se détourner pour aller quérir la petite table qui leur servait de table à jeu et la rapprocher de la méridienne :

— Jouons-nous? enchaîna-t-elle précipitamment.

— Et, comme toujours, vous allez me gagner, conclut-il avec bonne humeur, sans paraître s'apercevoir de sa gêne. Savez-vous que vous êtes une rude adversaire?

Elle s'éclaira.

— C'est papa qui m'a appris à jouer. Il

était tellement calé! Lorsqu'il ne naviguait pas, nous faisions tous les soirs des parties interminables.

Il y eut une pause, avant qu'elle continue d'une voix plus rauque que trouait un chagrin secret :

— Il m'a appris bien d'autres choses : à manœuvrer une barque, à dresser un plan, à larguer une voile, à poser des filets...

Une chaleureuse sympathie adoucit les traits de Gordon :

— Vous aimiez beaucoup votre père, Stella?

— Ne parlons pas de cela... voulez-vous?

Son timbre était altéré. Pourtant, comme malgré elle, elle compléta :

— C'était un être inestimable... Je regrette que vous ne l'ayez pas connu. Ah! la guerre, quelle horreur!

Elle enfouit son visage dans ses mains. Par-dessus la table, la main de Gordon vint serrer l'épaule mince dans un geste fraternel :

— Excusez-moi d'avoir évoqué ces sujets... Ne pensons plus aux choses tristes. Et souvenez-vous, Stella, que vous avez en moi un ami.

Il avait parlé avec un sérieux presque solennel qui contrastait avec sa gouaille habituelle.

— Merci, dit-elle avec élan et dégageant sa face empourprée.

A nouveau, leurs regards s'accrochèrent. La

main de Gordon se retira lentement de l'épaule qu'elle enserrait.

— Jouons, dit-il brièvement.

Le silence pesa tandis que, le masque tendu soudain par l'attention, un pli de réflexion entre les sourcils, la joueuse combinait une attaque. Gordon riposta, mais la maîtrise de son adversaire contrecarrait aussitôt ses plans les plus machiavéliques. Tout entiers pris au jeu, ils disputèrent un long moment la partie. Enfin, Gordon repoussa l'échiquier.

— Je renonce, Stella. Et je m'incline. Vous êtes trop forte pour moi.

Elle rit de plaisir.

— Je vais préparer votre thé.

— N'oubliez pas mes cigarettes? lui cria Gordon qui rallumait sa vieille pipe avec les débris de tabac qu'il puisait au fond du dernier paquet.

— Je n'aurai garde! promit-elle.

Il écouta son pas décroître dans le couloir. La gaieté de son visage disparut. Ses sourcils rejoints accentuèrent l'inflexible dureté de son profil tandis qu'il méditait. Il avait encore les lèvres serrées et le masque tendu lorsque l'abbé Garlic pénétra dans la pièce.

Gordon se leva vivement. A la protestation de l'abbé, il opposa :

— Ma cheville est pratiquement guérie. Monsieur l'abbé, il faut absolument que j'aille, dès demain, m'installer à l'auberge. acheva-t-il d'un ton résolu.

L'abbé Garlic l'examina avec surprise.

— Quelle précipitation!... Que vous arrive-t-il?

— Il m'arrive, éclata Gordon, que cela ne peut continuer ainsi. D'abord, ces cachotteries touchant mon identité que vous m'avez demandé de faire à Mlle Le Meur me deviennent de plus en plus désagréables tous les jours. Et plus difficiles aussi... Jusqu'à présent, — par quel miracle? — elle ne s'est pas enquise de mon nom de famille, mais si elle s'avise de me poser une question précise, je vous certifie que je ne lui mentirai pas.

— Allons, allons, du calme, mon ami... Comme vous êtes surexcité, ce matin! Il ne s'agit pas de mentir.

Conciliant, il entraîne son patient vers la chaise longue et prend place près de lui.

— Je vous ai demandé la discrétion touchant votre identité parce que Stella, sachant qui vous êtes, n'aurait jamais consenti à vous soigner. Et comme c'est un bon petit cœur, elle en eût été très malheureuse.

— En somme, je dois ses soins à une supercherie, conclut Gordon, amer. Si vous croyez que c'est honorable. J'ai l'impression de lui voler sa sympathie et sa sollicitude, à cette petite.

L'abbé haussa les épaules :

— Mais non, mais non... car cette aversion tradidionnelle qui gît dans le cœur de tous les Le Meur à l'endroit de tous les Guilvinec est positivement absurde et n'a aucune raison d'être. Stella l'éprouve parce qu'elle l'a sucée

avec le lait maternel. Mais voyons, cher monsieur, qu'y a-t-il de commun entre Gordon
Guilvinec et Stella Le Meur d'une part et
toute cette lignée de gens farouches et têtus
qui se sont entretués aux siècles précé-
dents?... Votre grand-père Joël Guilvinec l'a si
bien compris qu'il a fui l'île et, avec elle, le
fiel empoisonné qui animait les deux clans.
Vous ne voudriez pas que cette stupide et
tragique querelle recommençât?

Gordon a écouté le vieux prêtre d'un air
sombre et tendu. Il relève la tête et le fixe de
ses yeux d'aiglon, directs et durs.

— Me croyez-vous quand je vous dis qu'en
venant dans l'île j'ignorais tout de ces vieilles
histoires?

L'abbé Garlic ouvre les bras :

— Evidemment! Mais la coïncidence est
curieuse, néanmoins, que la fantaisie seule du
touriste vous ait amené ici!

Les paupières de Gordon battent imperceptiblement. Il détourne son visage dont les
joues se sont colorées.

— En tout cas, conclut-il, je n'ai découvert
mon affiliation aux gens de Castel-Pirate,
qu'à la seconde où Stella, sur la barque où
elle m'emmenait, les a nommés. Alors seulement, j'ai établi une relation entre ces ruines
qui m'étaient apparues sur le promontoire de
l'île et le vieux manoir croulant dont ma mère
m'avait dit que j'hériterais un jour. Je suppose qu'elle-même n'en avait qu'une très
vague idée.

Il s'anime à mesure qu'il poursuit :

— Vous savez, monsieur l'abbé, — je vous l'ai raconté succinctement, — que mon grand-père Joël s'est expatrié en Argentine où je suis né. Je ne l'ai pas connu. Ma mère prétend que je lui ressemble trait pour trait.

— Je ne l'ai pas connu non plus, dit le prêtre. Je ne parle des Guilvinec que par ouï-dire. Il y a vingt ans seulement que j'ai pris la charge de cette cure.

— Mon aïeul s'est établi là-bas. Il a monté une maison d'exportation de café. Mon père a fait souche à son tour. Pour moi, la guerre m'a surpris à Paris où je terminais mes études. Je me suis engagé... Depuis, je suis demeuré en France... pour... enfin momentanément. Mais tout cela n'a rien à voir avec les Le Meur, s'échauffe-t-il. Je n'ai jamais entendu parler d'eux, je vous l'affirme. Mon père n'était certainement pas au courant de la vendetta archaïque qui semble tenir au cœur des gens d'ici. Pourquoi dois-je taire mon nom — un nom que les miens ont fait honorable — comme une tare?

— Parce que, tergiversa l'abbé, ici, comme vous le dites fort bien, les gens ont encore dans l'esprit les vieilles rancunes. Votre grand-père s'est évadé. Mais les descendants des Le Meur ont continué à vivre en vase clos, remâchant les vieux griefs, les haines héréditaires, transmises d'âge en âge. Bonnes ou mauvaises, ils ont gardé les traditions. Donc, puisque un malencontreux hasard vous avait fait échouer justement dans cette maison et condamné à quelques jours d'immobilité, il n'était pas nécessaire de mettre Stella en face d'un cas de conscience qui aurait pesé lourd sur sa petite âme honnête et naïve. Voilà pourquoi, d'accord avec Mme Géraldine, je vous ai recommandé la discrétion.

« De plus, ajouta-t-il en hochant la tête, j'ai voulu éviter les violences. Dieu sait comment Jean Gallahan aurait réagi!... Hervé absent, c'est lui qui aurait pris en main l'honneur du clan...

D'un ton indéfinissable, Gordon répéta, avant de tirer furieusement sur sa pipe :

— L'honneur du clan!...

— Je conçois que cela vous paraisse désuet et terriblement ridicule, renchérit le prêtre, mais il faut vivre avec les îliens pour s'apercevoir de tout ce qu'il y a en eux d'enfantin, de sauvage, d'entier.

— En tout cas, j'en ai assez qu'on me cache comme un pestiféré, déclara durement Gordon. Je veux partir sans délai.

— Vous me laisserez bien le temps de retenir pour vous chez le père Corentin une chambre convenable et de requérir les services de Jean-Marie afin qu'il vous transporte dans sa tapissière. Le trajet à pied risquerait de compromettre votre guérison...

L'arrivée de Stella l'empêcha d'en dire plus long. Elle survenait avec Caro, toujours folle et bondissante.

— Vous permettez qu'elle entre, Gordon?

— Mais bien sûr, dit Gordon, plein de mansuétude pour Caro. Sa visite me fait toujours plaisir.

Les yeux couleur de mer dévisagèrent tour à tour le jeune homme et le vieux prêtre.

— Comment avez-vous trouvé cette cheville, monsieur le curé?

— Si bien que je ne tarderai pas à signifier à votre pensionnaire son congé. Il pourra émigrer demain et s'installer à l'auberge, en attendant de quitter l'île et de retourner à ses habituelles occupations.

Un désappointement aigu se fit jour sur les traits de Stella.

— Oh! monsieur le curé, mais c'est prématuré! Pourquoi si vite... pourquoi?

Elle regardait le prêtre avec reproche. Gordon se pencha et lui toucha doucement l'épaule :

— Il faut bien que je parte, Stella. Je ne puis demeurer éternellement dans cette maison, oisif et rongeant mon frein.

— Mais — ses yeux s'étaient emplis de larmes et ses lèvres butaient sur les mots — vous êtes aussi bien ici qu'à l'auberge. Attendez au moins l'arrivée de Jean...

Visiblement, elle ne savait plus quel argument employer pour le persuader. Il secoua la tête :

— Non... Stella, ma chère, n'insistez pas. Il vaut mieux que je parte, croyez-moi...

Alors, elle virevolta et sortit en courant, la

chienne sur ses talons. Les deux hommes se
regardèrent.

— Votre présence, durant ces quelques
jours, aura créé un sillage profond dans le
cœur de Stella, murmura le vieux prêtre d'un
air songeur.

Il ajouta, voyant que Gordon se taisait, suivant d'un œil vague les ronds de fumée qui se
perdaient lentement au plafond :

— La vie n'est pas toujours très gaie, pour
elle, sur cette île.

Lorsqu'il prit congé de son compagnon, il
était soucieux.

Géraldine l'attendait, assise au coin de la
fenêtre de la salle. Elle planta les aiguilles
dans son tricot et se leva pour escorter le
prêtre jusqu'à la porte de Marie Le Meur.

— Allez-vous enfin nous débarrasser de
l'individu?

Elle pointait son doigt osseux vers le couloir. Sa voix était grondeuse et menaçante.

— Allons, allons, madame Gallahan, tem-
porisa l'abbé Garlic, ne vous faites pas moins
généreuse que vous n'êtes.

Et, prévenant sa véhémente protestation, il
se hâta d'annoncer :

— Votre pensionnaire quittera la maison
demain.

— Ce n'est pas malheureux!

Elle alla vivement annoncer la nouvelle à
Anaïs.

— On fera brûler de la bruyère dans sa
chambre, après son départ, conclut la vieille

Bretonne. C'est indiqué pour chasser les mauvais esprits.

— Avez-vous reçu des nouvelles de votre
mari?... s'enquérait l'abbé un peu plus tard,
comme Géraldine le raccompagnait à travers
l'enclos.

Géraldine secoua la tête. Une crispation
avait passé sur ses traits.

— Il a dû être retardé dans sa tournée. Il
viendra la semaine prochaine, déclara-t-elle
avec une feinte assurance.

Mais le souci qui la taraudait sans cesse
avait encore émacié sa maigre figure. Près de
quelle rivale le beau Jean avait-il passé ces
derniers dimanches qu'il n'avait jamais
manqué de lui consacrer jusqu'ici?

Elle se remémorait certains détails qui lui
paraissaient significatifs à présent : son attitude absente, concentrée, équivoque. Lorsqu'elle lui adressait la parole, il sursautait
comme s'il avait peur qu'elle ne surprît le
sujet de ses méditations secrètes. Et puis, il
avait des impatiences, des sautes d'humeur
anormales.

Pensant à toutes ces choses, et à d'autres
qu'elle ne faisait que pressentir obscurément,
Géraldine se rongeait...

VI

Le vent s'était déchaîné et Stella ramait contre le courant. Son chagrin décuplait ses forces. Elle était comme une machine qui accomplit la tâche pour laquelle elle a été construite; mais ses pensées tourbillonnaient tels des oiseaux affolés qui auraient tapé sur les parois de leur prison avec leurs petits becs durs : « Gor-don... Gor-don... »

Etait-il possible que si peu de semaines aient passé depuis le moment où elle avait embarqué son passager aux yeux bleus? Et voilà qu'il lui était devenu aussi indispensable que l'air qu'elle respirait. Il n'avait pas quitté la chambre où le retenait sa blessure et il lui semblait si intimement intégré au rythme de la vieille maison que l'idée de son proche départ la désespérait comme si la maison allait se vider de sa substance.

Les vingt années de sa vie passées sous le toit de Maison Rousse, encloses dans cette île qui constituait jusqu'alors tout son univers, lui paraissaient dépourvues de sens, de la

4

minute où elles ne signifiaient pas l'ache-
minement vers une autre vie dont Gordon
aurait été le pivot.

Adieu, Gordon... Elle ne verrait plus, sous
le damas fané de la chambre verte, la brune
figure impatiente, le sourire accueillant et
cordial des belles lèvres rouges, le rayon
moqueur des yeux bleus, ni la mince et vigou-
reuse silhouette profilée devant la fenêtre
ouverte sur l'infini de la mer et du ciel...
Adieu, journées toutes remplies de sa présence, de son rire, de sa musique, de ses propos joyeux! Adieu les tâches qu'elle accom-
plissait pour lui plaire, comme elle mettait
pour lui plaire sa plus coquette robe et sa
blouse brodée.

Mais comment avait-elle pensé lui plaire?...
N'avait-il pas connu, dans ces pays étranges
d'où il venait et dont il ne parlait jamais, des
femmes séduisantes, belles et parées? Comment avait-elle pensé le retenir, avec ses
cheveux au vent, ses robes de quatre sous
fabriquées par la couturière de Roch-
Manech?

Ce premier soir où elle était rentrée tran-
quillement, après l'avoir déposé sur la grève
tel un quelconque passager, elle ignorait
quelle place il allait prendre dans sa vie.
Trois semaines!... Il n'y avait pas plus de
temps que sa barque l'avait ramené, charmant, goguenard et mystérieux, trois
semaines, pas davantage! Elle ne pouvait y
croire, elle se refusait à renfermer dans un

espace aussi restreint tout ce trésor de souvenirs qui lui semblait emplir son existence
entière et avait commencé quand elle avait
ouvert les yeux à la lumière du jour.

Gordon... N'était-il pas déjà né pour elle, ne
portait-elle pas son image dans son cœur,
bien avant de l'entrevoir, confuse silhouette
détachée sur la grève, au crépuscule d'un soir
d'automne, quand elle ne savait pas encore
qu'elle l'attendait?

Il fallait donc le prononcer, ce mot romanesque et brûlant qu'elle n'avait vu jusqu'ici
que dans les folles histoires qu'elle lisait sous
la lampe, les soirs d'hiver, pour passer le
temps, ces romans qui passionnaient Géraldine et qui lui faisaient à elle, Stella, un peu
hausser les épaules.

Son roman d'amour...

L'amour, pour Géraldine, c'était Jean, sa
petite moustache courte, ses cheveux lustrés
de pommade, ses larges mains et ses yeux
luisants où tremblait parfois une flamme
équivoque... Stella n'avait jamais donné un
visage à l'amour. Elle n'y pensait jamais. Elle
ne désirait rien en dehors de sa chère terre
baignée de silence et de sauvagerie, de la
grande voix du vent dans les vergues, du
charme serein et immatériel des collines jas-
pées de rose ou de bleu suivant l'heure, des
teintes exquises de l'horizon par les soirs
d'été...

Et Gordon était venu. Et son pouvoir avait
agi à la seconde où il lui avait parlé, dans

l'ombre de la plage... Tout d'abord, elle s'était
méfiée de lui. Il l'intriguait, il la déconcertait,
et, quand elle l'avait revu, le lendemain
matin, dans la buanderie de Maison Rousse,
quand elle s'était trouvée en face de son
apparition inattendue et insolite, en sa tenue
extravagante, — gabardine et pyjama, — elle
avait éprouvé ce frémissement du cœur qui,
depuis, l'avait si souvent agitée en sa présence.

Miracle! Elle avait pu le retenir captif entre
les murs de la chambre du coin, captif de sa
blessure, mais aussi de sa sollicitude, de ses
soins empressés, de son amour qui déjà
s'ébauchait, même quand elle l'ignorait encore, comme la flamme dort dans la torche de
résine tout prête à être embrasée.

Et voici qu'il n'était venu que pour repartir.
Cette pensée harcelante la gonflait d'une
peine amère et douloureuse. Elle ne rentra
qu'à la tombée de la nuit. Elle était transie de
froid et ses joues semblaient gercées.

Sa sœur l'examina en silence.

— Mais, enfin, où étais-tu?

— Je suis allée au bourg.

— Par ce temps? Tu es folle!

Accablée par ce qui lui arrivait, la cadette
n'était pas loin de partager cette opinion,
mais elle ne daigna pas répondre. Déjà, elle
s'informait de l'étranger... Avait-il déjeuné?
Anaïs avait-elle rempli l'office dont Stella
l'avait chargée?

Géraldine la considéra avec stupeur.

— Ne dirait-on pas qu'il n'y a que *lui* qui compte ici? Cet intrus qui n'est même pas un invité!... Ah! je suis joliment contente qu'il mette la voile demain, celui-là. Bon vent!

— Comment peux-tu parler ainsi? jeta Stella d'une voix rageuse et prête aux larmes.

Elle rabattit la porte sur l'étonnement scandalisé de Géraldine et se dirigea vers la chambre du coin.

— Mon Dieu!... Stella, s'exclama Gordon, quand il la vit surgir, haletante, sur le seuil, où étiez-vous donc passée? L'après-midi sans vous m'a paru interminable.

— Il faut bien que vous vous habituiez à vous passer de ma présence, puisque vous semblez si heureux de partir, dit-elle, en jetant sur la table des paquets de cigarettes qu'elle avait rapportés.

Il prit le ton d'un maître indulgent qui gronde une élève récalcitrante :

— Comprenez donc, petite fille, que je ne *peux* pas m'incruster dans cette maison.

— Evidemment, acquiesça-t-elle avec lassitude.

Elle s'assit dans le fauteuil près du foyer et ferma les yeux.

— Jouez pour moi ce soir, encore une fois, voulez-vous?

Sa voix était priante et altérée. Il contempla son pâle petit visage que le vent de la mer — et peut-être quelque autre chose secrète — avait meurtri.

— Je veux bien, dit-il, ému par son expression pathétique.

Il prit la flûte qu'il avait sortie les premiers jours de sa valise et se mit à jouer. Stella écoutait, pâle comme une jeune morte, sourdre en elle cette source d'émotions que le jeu de Gordon captait comme par magie...

Dès les premiers jours, cela avait été pour elle une révélation. O flûte magicienne!.... Il semble que la musique l'emporte comme une voile que gonfle le vent. Elle s'abandonne à cette bienheureuse euphorie. Dans le pays où elle aborde, il n'y a ni sirènes, ni sorciers, ni hautes tours sauvages, ni séparation, ni absence... Elle se laisse bercer et caresser par les sons...

Mais, aujourd'hui, il semble que le sortilège agisse différemment. Stella ne trouve pas l'apaisement qu'elle attendait. Par contre, on dirait que tout ce qu'il y a en elle d'insatisfait se matérialise pour ainsi dire. Une tristesse monte comme une fumée au fond de son âme dolente.

Elle pense à tous les deuils qui ont déjà marqué sa jeune vie : à sa mère qu'elle n'a pas connue, à son père qu'elle a tant chéri et à l'héroïque tragédie de sa fin, à la dure période de la guerre lorsqu'on n'avait même pas le nécessaire et qu'on était si anxieux du lendemain, si tourmenté au sujet des êtres chers... Pourquoi tous ces cruels souvenirs reviennent-ils l'assaillir? Pourquoi se sent-elle le cœur si lourd ce soir? Pourquoi éprouve-t-elle, si forte et douloureuse jusqu'à l'angoisse, la mélancolie de sa solitude, un besoin infini de tendresse, d'en recevoir et d'en donner?...

Géraldine est si dure, si indifférente à ce qui n'est pas le mari qui constitue pour elle le pôle de l'univers! Certes, il y a grand-mère. Et grand-mère la chérit. Mais elle vit dans le passé, le passé des Le Meur, leurs gloires, leurs victoires, leurs hauts faits, au milieu de tous ces certificats, tous ces diplômes attestant les « services éminents » rendus par des générations de Le Meur, depuis l'ancêtre, le corsaire du roi, jusqu'à ceux qui, modestes douaniers, ont risqué leur vie en poursuivant les pirates et les pillards.

Stella, elle, voudrait courir vers l'avenir. Elle existe, elle n'a pas ses souvenirs derrière elle comme un domaine interdit. Elle veut vivre, aimer, être aimée...

Machinalement, ses bras se referment sur sa jeune poitrine. Des larmes coulent sur ses joues. Elle entend venir le pas de Gordon qu'accompagne le léger clac-clac de la canne sur le parquet ciré.

— Vous avez de la peine, Stella?

— Oui... souffle-t-elle à voix basse.

— Il ne faut pas...

Il était debout près d'elle. Elle sentit son souffle sur sa nuque inclinée. Un émoi la paralysait. Elle n'avait jamais ressenti cela, cette défaillance intérieure qui était à la fois cruelle et indiciblement douce. Elle se défen-

dit contre le désir qu'elle avait de relever la
tête, de rencontrer ses yeux et peut-être de
se jeter dans ses bras.

— Que suis-je pour vous? continuait-il
d'une voix qu'il voulait légère et persuasive,
mais où traînait une note nouvelle, comme un
son de cloche assourdi. Un intrus... un passant... que vous oublierez bien vite.

Elle se mordit les lèvres et éclata en sanglots.

Alors... elle ne sut pas très bien comment
cela s'était fait, elle se retrouva soudain la
tête appuyée contre son épaule. Les larmes
l'étouffaient. Elle les libérait sans vergogne,
les laissait couler, tandis que Gordon la tenait
serrée contre lui et lui caressait les cheveux.

Elle était sans force pour se dégager et elle
demeurait là, la joue meurtrie par le bouton
de la veste de Gordon, en proie à un boule-
versement et à un trouble dont elle ne savait
plus s'ils étaient tourment ou joie.

Tout d'un coup, il la lâcha.

— Stella, pour l'amour du ciel, cessons de
nous conduire comme des imbéciles!

Cet éclat inattendu lui fit l'effet d'un coup
de poignard. Elle le regarda, horrifiée. Ses
pleurs s'étaient séchés instantanément sur son
visage.

— Oh! Gordon, vous ne m'aimez pas!...
exhala-t-elle, sa bouche tremblante réprimant
une grimace de désespoir.

— Je ne...

Il la fixa avec des yeux meurtriers et grinça :

— Vous ne comprenez donc rien, petite fille?

La voix était brutale, mais Stella perçut le timbre insolite. Son instinct d'amoureuse mit en elle un espoir obscur.

— Comme vous êtes méchant avec moi, Gordon! gémit-elle.

— Moi, méchant?

Il agrippa son bras avec tant de force qu'elle ne put réprimer un petit cri. Le regard bleu, si bleu d'ordinaire, tournait au gris comme un lac traversé par l'orage. Il la tint un long instant sous ce regard comme s'il eût voulu lui poser une brûlante interrogation... Les lèvres de Stella continuaient de trembler et elle gardait ses prunelles rivées à lui, avec une expression suppliante d'abandon total, de confiance éperdue et soumise.

Elle eut soudain l'impression bizarre qu'elle se vidait de toutes ses pensées et qu'il n'y avait plus que lui de réel au monde.

— Je vous aime, Gordon, balbutia-t-elle.

Les traits de Gordon s'adoucirent, se fondirent, lui enlevant cette face de pirate qui, un moment, avait été la sienne.

— Ma petite... prononça-t-il avec une infinie tendresse.

Et comme attiré invinciblement par le pâle visage mouillé, par les yeux pathétiques, par la bouche désespérée, il se pencha et baisa les tendres paupières.

— Gordon... dit-elle dans un souffle.

Elle restait blottie contre sa poitrine, osant à peine respirer.

— Allez-vous-en, Stella.

Il avait prononcé l'injonction sans colère, avec une douceur triste. Et, pour fuir l'expression apeurée qui réapparaissait sur son petit masque déconcerté, il se détourna, s'éloigna d'elle.

— Pourquoi me chassez-vous? Je ne comprends pas, gémit Stella, éplorée.

— Il n'y a rien à comprendre. Je pars tout à l'heure, trancha-t-il brutalement.

Il alla soulever le rideau de la penderie qui cachait sa valise. Elle se tordait les mains de désespoir. Elle demanda humblement :

— Vous ne voulez pas de moi? Vous me trouvez trop insignifiante, trop laide?... Sans doute, les femmes que vous connaissez...

Il se retourna brusquement.

— Cessez de dire des sottises!

Et puis il s'arrêta, honteux de sa violence, devant l'expression de détresse de son visage torturé.

— C'est bon, dit-il, vous l'aurez voulu.

Il martela, d'une voix volontairement impersonnelle, en la fixant droit dans les yeux :

— Ecoutez, Stella. Jamais aucune femme ne m'a captivé autant que vous et je ne savais pas qu'il existait des créatures aussi fraîches, aussi sincères, aussi prenantes que vous l'êtes. Vous représentez pour moi un idéal que je ne

croyais pas possible de rencontrer dans ce
monde si terriblement réaliste. Et pourtant,
acheva-t-il avec un geste brusque pour l'écarter, Dieu m'est témoin que je n'aurais jamais
voulu mettre le pied dans cette île.

Elle se tordit les mains dans un mouvement
d'impuissance affolée.

— Mais pourquoi? gémit-elle. Pourquoi?

— Parce que...

Il se mordit les lèvres. Ses traits devinrent
durs et farouches.

— Ne m'interrogez pas... Voulez-vous me
faire un dernier plaisir?

— Oui, murmura-t-elle à travers les larmes
qui l'aveuglaient.

Il lui toucha l'épaule, la poussa vers la
porte.

— Laissez-moi préparer mes bagages.

Elle sortit sans un mot, se raidissant pour
ne pas lui donner le spectacle de sa douleur
humiliée.

-:-

Marie Le Meur écoutait les bruits de la maison qui lui parvenaient à travers la porte
close. Elle suivait les allées et venues d'Anaïs
allant de la cuisine au poulailler, le pas furtif
de Géraldine sur le pavé du couloir, la pour-
suite légère de Stella derrière Sauve-qui-peut,
ou les gambades de Caro.

Parfois, au cours de ces dernières semaines,
il lui était arrivé de percevoir le clac-clac de
la béquille du blessé quand il se traînait de sa

chambre au cabinet de toilette installé à proximité. Les premiers jours, c'était pénible de l'entendre, mais il allait maintenant d'un pas plus assuré : ainsi, elle avait pu suivre ses progrès.

Tout à l'heure, les dernières notes de la flûte qu'elle aimait à écouter s'étaient éteintes dans le silence de la demeure. L'aïeule entendit le jeune pas de Stella s'arrêter au seuil de son refuge, comme si la visiteuse ne se décidait pas à entrer. Ces hésitations ne ressemblaient pas à Stella. La vieille dame devina ce qui la retenait ainsi devant le battant fermé : le soin d'effacer des larmes sur son visage et de reprendre un peu de calme et une apparence de sérénité. Marie Le Meur avait beau être clouée sur son lit, elle savait à peu de choses près, par cette divination propre aux malades, tout ce qui se passait sous son toit.

— Alors, dit-elle de sa voix brève et rauque que l'âge ni les chagrins n'avaient pu casser, ce garçon s'en va?

Une nuance de surprise parut sur les traits altérés de sa petite-fille.

— On vous l'a dit? s'exclama-t-elle.

Les yeux pâles de l'aïeule eurent une lueur goguenarde.

— Pas besoin. Cela se lit clairement sur ta figure.

Stella rougit et se détourna pour cacher sa confusion. Mais les sanglots se nouaient à sa gorge. Elle ne put les maîtriser. Elle se laissa tomber sur la chaise auprès du lit clos.

— Oh! grand-mère, grand-mère... gémit-elle à travers la suffocation de ses larmes.

L'aïeule la regardait. Un attendrissement fugace trembla sur sa face sévère. Elle allongea sa main ridée — une main qui avait tant travaillé au long de sa longue vie — et la posa sur la tête de la jeune fille, abîmée dans son chagrin.

— Oui, dit-elle, tu l'aimes et il s'en va. C'est dur.

— Et pourtant, riposta Stella en relevant la tête avec véhémence, lui aussi m'aime. Il me l'a dit. Comprenez-vous cela, grand-mère?

Une lueur mélancolique passa dans les prunelles délavées. Les lèvres fripées se serrèrent, sur quel lancinant secret?

— Oui, je crois que je comprends, dit-elle très doucement.

— Eh bien! pas moi! s'exclama farouchement Stella. Concevez-vous qu'il voudrait n'être jamais venu ici?

L'aïeule méditait, les yeux lointains... Vers quel passé amer et triste de sa lointaine jeunesse?

— C'est étrange...

Le regard de Marie Le Meur quitta la mince forme accablée pour regarder, à travers les vitres, dans la direction de la baie où se profilait la Tour du Pirate.

— J'aimerais que ce garçon vienne prendre congé de moi, dit-elle au bout d'un instant.

C'est le moins qu'il puisse faire après avoir reçu mon hospitalité. Maison Rousse est encore mon fief.

— Oh! vous voudriez... Vous lui parlerez, grand-mère?

Un espoir insensé agitait Stella.

— Peut-être voudra-t-il vous dire, à vous, pourquoi il refuse de...

— De se laisser aller à son inclination? Bah! les hommes ont quelquefois de curieuses lubies. En tout cas, je te dirai ce que je pense du personnage et s'il vaut la peine que tu abîmes ces beaux yeux pour lui.

Le front de l'aïeule se plissa :

— Au fait, ta sœur n'a toujours pas de nouvelles?

— De Jean? Hélas!...

Le visage de Stella exprima la consternation.

— Voilà trois semaines qu'il n'a pas donné signe de vie. Voulez-vous que je vous dise?

Elle avança, en confidence, sa bouche fraîche tout près de l'oreille attentive :

— J'ai grand peur qu'il ne revienne pas... Et Géraldine aussi doit en avoir peur!... Seulement, elle est trop fière pour avouer que son mari l'a abandonnée. Elle se tourmente. Elle ne doit pas dormir la nuit : quand je la vois, au matin, sa figure est défaite et ses paupières fripées comme si elle avait pleuré longtemps.

— Hum!... dit la vieille dame, qui paraît beaucoup moins apitoyée que sa petite-fille

sur l'infortune conjugale de l'aînée. J'ai toujours dit à ta sœur qu'elle avait tort de s'enti-
cher de ce garçon. D'abord, sa profession ne
me disait rien qui vaille. Peuh!...

Le souffle dédaigneux de Marie Le Meur
fait voltiger une de ses mèches grises hors des
ruches du bonnet.

— Un fouineur qui s'introduit chez les gens
pour y repérer le mobilier et qui s'ingénie à
tromper le monde sur la valeur de ce qu'on
possède afin de l'acquérir à vil prix. Le beau
métier, ma foi!...

Elle n'a jamais pardonné à Jean Gallahan
la manière dont il s'est insinué à Maison
Rousse. Le « chenapan » s'était tout de suite
aperçu de la gêne qui régnait dans la vieille
demeure et il avait flairé la bonne affaire.

Il était venu pendant que le père était en
mer pour mieux circonvenir la femme du
logis. Il apportait les catalogues des magasins
de la ville qui présentent de séduisants modèles pour les jeunes yeux avides. Géraldine
s'était penchée avec curiosité et envie sur les
articles offerts... et elle avait remarqué, en
même temps, la main qui désignait les colifi-
chets tentants, les robes, les pièces de linge-
rie.

— Choisissez... Je puis vous faire envoyer
ce que vous désirez, expliquait le représen-
tant, tandis que ses yeux chauds se posaient
sur le visage troublé de sa cliente. Pour le
paiement, on s'arrangera. Je vous reprendrai
quelques vieilleries...

Son regard se faisait langoureux et sa voix tentatrice...

Et chaque fois, c'était une des richesses de la maison qui s'en allait en échange des commandes : un vieux pot d'étain qu'il disait sans valeur, un coffre sculpté, des assiettes fleuries. L'année où la pêche avait été si mauvaise et où la vache était morte, c'était le bahut qui était parti... celui où Marie Le Meur rangeait ses coiffes et ses beaux affutiaux.

N'avait-il pas acheté jusqu'aux robes des aïeules, aux *devantieux* brodés, conservés là-haut dans le compartiment d'une vieille malle, entre deux couches de camphre?

Et non content de dépouiller la demeure de ses humbles trésors, il avait séduit la fille... Géraldine était devenue folle de ce bellâtre beau parleur. A quoi donc pouvait-elle s'attendre? Il la délaissait... Est-ce qu'un tel homme peut rester fidèle toute la vie?

VIII

... La tapissière de Jean-Marie devait venir chercher Gordon à la tombée du jour. Stella fit part à son pensionnaire du désir que la vieille femme avait exprimé.

— Mais je ne demande pas mieux que d'aller présenter mes devoirs à votre grand-mère, Stella, déclara le jeune homme. Faut-il y aller maintenant?

— Si vous voulez...

Elle détournait la tête pour ne pas voir la valise fermée, sur la table ronde, et l'ordre qui régnait dans la pièce.

Bientôt, la chambre verte aurait repris son air de salle inhabitée... Il n'y resterait que le parfum du tabac de Gordon et, peut-être, épars sous les lourdes draperies, l'écho de la flûte nostalgique...

Gordon prit sa canne et jeta un dernier coup d'œil au miroir terni placé au-dessus de la commode. Il vit s'y refléter une image qu'il connaissait bien : long visage viril aux traits fins et déliés, bouche aux lèvres épaisses,

encadrant un menton carré que deux paren-
thèses marquaient prématurément.

— Où perche cette gente dame? demanda-
t-il en ouvrant la porte du couloir.

— Suivez-moi!

Il lui emboîta le pas, les yeux fixés sur le
châle écarlate qu'elle avait jeté négligemment
sur ses épaules. Telle, elle avait une grâce
exotique à laquelle il ne restait pas insen-
sible.

Il refit, en le prolongeant, tout le chemin
qu'il avait accompli le jour de son arrivée; le
couloir était long et étroit, coupé de fenêtres
anciennes, à petits carreaux verdis. La
chambre de Marie Le Meur en occupait
l'extrémité.

Un rideau de perse à fleurs était ouvert sur
le lit clos et, la première chose qu'aperçut
Gordon, ce fut la main maigre et diaphane
qui s'étirait sur la découverte du drap garnie
d'un large entre-deux de dentelle.

— Avancez! enjoignit la voix rauque de la
Bretonne à la haute silhouette qui s'était
immobilisée dans le cadre de la porte.

De fait, Gordon, au seuil de ce domaine qui
limitait toute la vie de l'infirme, s'était arrêté,
un peu décontenancé. Il embrassa d'un regard
le décor désuet et noble, la vaste armoire
sculptée, le voilier sous le globe de la cheminée, au mur les diplômes encadrés, et, sur le
tapis usé, les fauteuils de tapisserie.

Par les larges fenêtres, on apercevait toute
la baie, baignée de brume.

— Allons... avancez!

Gordon s'arracha à son subit accès de timidité.

— Je suis venu, madame, vous présenter mes hommages et mes remerciements avant mon départ, dit-il, en se baissant légèrement pour franchir la porte basse.

La vieille dame tressaillit. Elle redressa le buste, laissant voir dans ce mouvement les initiales brodées de ses oreillers. Ses yeux pâles, qui avaient gardé leur vivacité, se posèrent sur le visiteur avec une attention avide.

— Attendez! intima-t-elle, levant comme un augure sa main aux veines apparentes.

Il s'immobilisa, un peu interloqué.

Stella manœuvrait les cordons de tirage pour laisser entrer plus largement Ia lumière de cette fin de jour.

Marie Le Meur se pencha en avant, autant que le lui permettait son infirmité. Elle le contempla un moment en silence, tandis que le jeune homme, gêné par cet examen, perdait peu à peu son assurance.

Il lissa ses cheveux, toussa et, délibérément, marcha vers le lit et vint baiser la main de la vieille Bretonne.

Marie Le Meur ne retira pas sa main. Lorsqu'il lui fit face, elle le considéra pensivement :

— Vous n'avez pas besoin de me dire votre nom, monsieur... Gordon, articula-t-elle sans ciller. Vous êtes le fils de Joël...

C'est à peine si Gordon réprima un sursaut. Depuis que les yeux inquisiteurs s'étaient appesantis sur sa personne, il pressentait ce qui arrivait.

— Son petit-fils, rectifia-t-il, sans autre commentaire.

Du coin d'ombre où s'était réfugiée Stella, une exclamation jaillit :

— Comment?... Le petit-fils de...

— Joël Guilvinec, répéta la voix nette de grand-mère. J'imagine que les mânes des Le Meur doivent tressaillir dans leurs tombes à l'heure qu'il est.

Grodon se tourna vers Stella.

Elle braquait sur lui des yeux incrédules où une curieuse flamme commençait à poindre.

Elle se leva et s'approcha de lui à le toucher.

— Ce n'est pas vrai? dit-elle sourdement.

Il inclina la tête.

— J'aurais voulu vous le préciser plus tôt, mais votre sœur me l'avait interdit par le truchement de l'abbé.

— Pourquoi?

Il eut un geste évasif.

— Sans doute pour éviter la réaction que vous avez maintenant.

Certes, il n'y avait pas à se tromper sur l'expression d'horreur que venait de prendre le petit visage. Peut-être cette horreur ne s'adressait-elle pas à lui, mais à leur destin.

— Guilvinec... proféra-t-elle, comme si ce nom, soudain, l'avait brûlée.

Elle avait la sensation de se trouver brusquement devant un abîme où ses dernières espérances sombraient.

— Ecoutez, Stella... commença-t-il, persuasif.

Elle se recula brusquement.

Le visage de Gordon se durcit.

— Ah! bon... dit-il en haussant les épaules.

Et, tourné vers le lit clos :

— Permettez-moi de me retirer, madame.

L'aïeule n'avait pas bougé. Du fond de son lit, elle les considérait tout à tour et il y avait dans ses yeux restés si jeunes une expression indéfinissable.

A cette seconde, la porte s'ouvrit et Géraldine, qu'ils n'avaient pas entendue approcher dans l'émotion du colloque, opéra une entrée tumultueuse. Elle avait toujours sa coiffure stricte et sa robe noire sévère, mais sa figure enflammée avait perdu sa coutumière impassibilité.

Elle s'élança sur Gordon, à croire qu'elle allait le gifler.

— Ah! vous êtes là, vous? Et ce que je voulais empêcher à tout prix se produit. Il a fallu que vous pénétriez chez grand-mère, que vous nous braviez jusqu'ici!...

Le verbe sec, elle apostropha sa sœur :

— Eh bien! tu es fixée, maintenant? Tu sais *qui* est ce beau monsieur que tu dorlotais? Tu n'ignores plus qu'un rejeton des Guil-

vinec a sali cette maison et que tu lui as
donné ton temps et tes soins...

Sans répondre, Stella s'écroula sur une
chaise et éclata en sanglots.

— Soyez tranquille, riposta Gordon, qui
l'avait laissée venir au bout de sa tirade sans
tenter de l'interrompre. Je m'en vais.

— Ce n'est pas dommage. Et soyez heureux
de vous en tirer à si bon compte. Votre présence offense cette demeure. Et croyez que,
s'il y avait eu ici un de nos hommes pour vous
chasser, vous auriez payé en même temps la
dette d'honneur que les Guilvinec doivent aux
nôtres.

— Je ne crois pas, dit Gordon avec un froid
sourire, que mon honneur soit personnelle-
ment compromis en cette aventure. La seule
dette que je reconnaisse, c'est une dette de
gratitude envers le toit qui m'a abrité, en de
malencontreuses circonstances, et... — il eut
un furtif coup d'œil vers Stella dont le visage
restait invisible derrière l'écran de ses mains
crispées — l'infirmière bénévole qui, chari-
tablement, m'a soigné.

« Mais cette dette-là, ajouta-t-il en rame-
nant son regard vers Géraldine qu'il fixa dans
les yeux, moi seul sais comment m'en acquit-
ter. »

Après un bref salut, il marcha vers la porte
d'un pas résolu. La voix de l'aïeule l'atteignit
avant qu'il l'ait atteinte.

— Une minute, s'il vous plaît, Gordon Guilvinec!

Il fit volte-face. Son œil étonné rencontra
la figure impassible de Marie Le Meur.

— Qu'y a-t-il?

Peut-être n'avait-il pas vu le long regard de
détresse que lui jetait Stella, qui avait subite-
ment relevé la tête, et le geste frémissant
qu'elle ne pouvait s'empêcher d'esquisser vers
lui.

Géraldine s'était tournée dans la direction
du lit clos avec inquiétude. Elle revint brusquement à Stella :

— Et c'est tout ce que tu trouves à faire!
clama-t-elle... Pleurer... gémir... regretter ce
maudit, peut-être? Pour un peu, tu lui ten-
drais tes bras...

Elle apostropha l'aïeule :

— Vous voyez le résultat de votre coupable
indulgence? Votre préférée!... Ah! si père
était vivant, je crois qu'il l'eût écrasée, pour
cette attitude.

Marie Le Meur hocha la tête :

— Je le crois aussi.

— Alors, reprit Géraldine, véhémente,
empêchez-la de pleurnicher comme si elle
avait perdu un être cher. Pleurer un Guilvinec, c'est « un péché mortel ». Quel manque
de dignité! Oublies-tu tout ce qu'il y a entre
toi et sa famille — son doigt accusateur semblait mettre Gordon au pilori — et tous les
crimes de cette sale engeance? Oublies-tu le
sang versé? Est-ce que tu renies tous les tiens,
renégate?

— Ecoutez, dit fermement Gordon, je vous

ai laissée assez longtemps délirer... mais la patience a des limites et...

Mais Stella n'avait même pas entendu l'interruption. Elle s'était dressée et tendait vers sa sœur un visage meurtri où les larmes traçaient leurs sillons.

— Je ne peux pas m'en empêcher! s'exclama-t-elle, farouche, s'adressant aux deux femmes qu'elle regardait tour à tour désespérément. Vous m'avez appris la haine. Est-ce ma faute si mon amour aujourd'hui étouffe la haine? Gordon m'aime, j'en suis sûre, appuie-t-elle d'une voix rauque. Et je sais maintenant pourquoi il repoussait cet amour...

— Vous ne savez rien, Stella... brusqua-t-il avec une flamme résolue dans le regard.

— Non, taisez-vous, Gordon, laissez-moi dire! Laissez-moi leur dire ce que j'ai sur le cœur.

Tandis qu'elle poursuivait, Gordon fit un geste d'impuissance. Peu à peu, son fier visage s'adoucit. L'expression rude et fermée qu'il avait adoptée, depuis le début s'effaça. Il n'y eut plus que de l'attendrissement et la douceur avec laquelle il contemplait Stella.

— Oh! grand-mère, disait-elle, en élevant ses poings tremblants, pourquoi dois-je le haïr? Qu'a-t-il fait, lui? Et moi, qu'ai-je fait pour être punie dans mon amour pour lui? Je ne veux pas, non, je ne veux pas...

Dans sa douleur puérile, elle était touchante et belle. Gordon se mordait les lèvres et, sur sa face contractée, l'émotion qui l'habitait se révélait à sa pâleur soudaine.

— Je m'en vais, déclara-t-il en faisant brusquement demi-tour, comme s'il ne pouvait en supporter davantage.

— Vous, jeune homme, ne bougez pas! intima la voix impérieuse de l'aïeule.

Elle s'était redressée sur ses oreillers. Son œil flambant se fit plus aigu pour se poser sur Géraldine qui ouvrait la bouche pour une virulente protestation.

— Toi, bavarde, tais-toi! dit Marie Le Meur, rudement.

Elle abaissa les yeux vers Stella. Son ton perdit de son agressivité.

— Pourquoi le haïrais-tu?

— Pourquoi? lança Géraldine, ironique.

Et, sur le mode indigné :

— Vous demandez pourquoi?

— A toi, je ne demande rien, coupa Marie Le Meur. Je t'ai dit de te taire.

L'injonction fut lancée si brutalement que la jeune femme se tint coite, tous les traits fermés. La colère couvait dans ses yeux noirs et blêmissait ses joues mates. Elle serra si fort ses deux mains que ses phalanges blanchirent.

L'aïeule reprit sévèrement :

— Il n'y a qu'une personne ici qui soit dépositaire de l'honneur des Le Meur, c'est moi. Et je déclare qu'il y a eu assez de querelles et de chicanes, assez d'aversions et de luttes, entre les deux familles ennemies. Il faut que cela finisse un jour.

Géraldine n'y tint plus.

— Et c'est vous qui parlez ainsi? Vous, grand-mère, qui vous êtes toujours montrée l'adversaire la plus acharnée des gens de « Castel-Pirate », qui avez obligé Joël, le dernier, à force de menaces et d'intimidation, à fuir à jamais notre île? Vraiment, je n'en crois pas mes oreilles.

— J'ai fait cela. Et après? Si j'estime qu'il faut en terminer maintenant avec cette éternelle vendetta? N'y a-t-il pas assez de guerres de par le monde, qu'on doive rallumer de nouveaux foyers sur notre petit coin de terre?

Elle plante son regard souverain sur Gordon.

— Je veux mettre un terme à ces vieilles histoires. Je ne veux pas savoir, jeune homme, ce qui vous a amené ici et s'il est exact que vous ne nous connaissiez pas avant de vous introduire dans notre maison.

Gordon leva la main, mais elle enchaîna brièvement, d'un ton grondeur et sans réplique :

— Ne m'interrompez pas! Vous devez le respect à mes cheveux blancs, tout Guilvinec que vous êtes. Vous aimez cette petite?

— Mais encore...

— Répondez!

— Oui, jeta résolument Gordon, semblant tout à coup prendre son parti de ses répugnances secrètes.

L'aïeule se tourna vers la jeune fille qui

semblait écouter de toute son âme, comme si
sa vie était suspendue à l'arrêt qu'allaient
prononcer les vieilles lèvres toujours impé-
rieuses.

— Toi, je ne te pose pas la question. Tu as
été plutôt éloquente tout à l'heure...

— Oh! grand-mère...

Elle avait cessé de pleurer. Si ses traits
exprimaient la stupeur, la joie, une joie timide
et encore apeurée, commençait à s'y faire
jour.

— Puisque tu aimes ce garçon, tu l'épouse-
ras, s'il plaît à Dieu.

Le cri de Stella se confondit avec l'avertissement de la vieille Bretonne.

— Mais j'y mets une condition!

Marie Le Meur se tourna à nouveau vers
Gordon qui restait figé sur place et dont le
désarroi perçait dans le froncement de ses
sourcils.

— C'est que vous ferez abattre Castel-
Pirate. Je ne veux pas que ce vestige de la
maléfique puissance des Guilvinec nous brave
comme autrefois.

D'un geste de sa main décharnée, elle
balaya l'objection qu'allait opposer Gordon.

— A sa place, vous ferez construire une
villa moderne, avec un belvédère sur la mer
où vous pourrez aller rêver tous les deux... et
une nursery pour mes petits-enfants à
venir.

— Oh! grand-mère, je vous adore!

L'émoi de Stella éclatait dans son cri

d'allégement. Mais ce ne fut pas vers le lit clos
qu'elle s'élança comme si une force inconnue
la poussait. Elle s'était précipitée sur la poitrine de Gordon, s'y cramponnait comme une
noyée à l'épave salvatrice.

— Gordon... mon chéri... j'ai eu si peur!...

Elle pleurait maintenant contre son épaule
avec une faiblesse d'enfant perdue, et elle ne
vit pas le malaise qui persistait dans son attitude hésitante. Il lui entoura les épaules de
ses bras, posa ses lèvres contre la tempe tiède
et mouillée.

— Stella, ma douce, je ne sais plus où j'en
suis. Si vous saviez, mon cher amour, dans
quelle aventure vous nous embarquez!...

— L'aventure du mariage a-t-elle donc tant
d'écueils   pour   vous,   Gordon   Guilvinec?
Seriez-vous un peu lâche, par hasard? émet-
tait la voix goguenarde de l'aïeule.

Gordon se raidit. Il parut brusquement se
décider. Sa taille athlétique sembla se déve-
lopper.

— S'il plaît à Dieu, madame, comme vous
dites,   je   saurai   triompher   des   écueils,
répliqua-t-il avec une sorte de solennité qui
ne lui était pas coutumière.

Géraldine ouvrait la porte pour fuir. Tout
son corps tremblait de rage.

— Oui, souffla-t-elle avant de sortir, eh
bien! la coupable faiblesse d'une vieille
femme n'empêchera pas ce qui doit arriver.
Ce mariage est un sacrilège. Les morts, dont le

sang crie vengeance, ne nous laisseront pas en paix, c'est moi qui vous le prédis.

Elle claque la porte sur sa virulente prophétie.

Marie Le Meur haussa les épaules.

— Elle a toujours eu des façons grandiloquentes de s'exprimer, dit-elle, calme, en manière de conclusion.

Un effroi restait aux prunelles couleur de mer. Stella se serra davantage contre la poitrine de Gordon.

— J'espère que ces souhaits funestes ne nous porteront pas malheur?

Il haussa les épaules, se força à sourire.

— Qu'allez-vous penser, ma chérie? Toutes ces grandes phrases ne signifient rien. Et c'est votre grand-mère qui a raison. Pourquoi porterions-nous le poids des fautes qui ne nous incombent pas?

Pourtant, il y avait une ombre lourde dans le regard pensif qu'il posait longuement sur la porte.

— Voyons, jeune homme, intervenait Marie Le Meur, si nous parlions un peu sérieusement de ce mariage?

IX

Au fond, les choses ne se passent jamais comme on les prévoit... Lorsque Stella imaginait son mariage, elle se voyait revêtue de flots de satin blanc et de voiles arachnéens, avançant le long d'une nef toute vibrante de sons et de chants triomphaux, jusqu'à l'autel où l'attendait son futur époux. Il serait fier et souriant, elle, grave et fervente, les joues roses de son émoi secret, les lèvres un peu tremblantes. Autour d'eux, un cortège d'apparat, des visages ravis, des mains chaleureuses, les demoiselles d'honneur en robes claires, des bouquets, des voitures...

Et ce mariage traditionnel aurait suivi de longues fiançailles... Il n'en avait pas été ainsi.

« Mariez-vous », avait déclaré d'une façon tout inattendue celle qui avait été l'inflexible Marie Le Meur. Alors, l'ombre douloureuse qui pesait sur le cœur de Stella s'était évanouie, comme disparaît la brume sur la mer. Gordon l'avait prise dans ses bras, malgré

Géraldine et sa noire hargne, malgré la muette désapprobation d'Anaïs.

— Marions-nous, avait dit Gordon. Et tout de suite.

Et il avait précipité les choses.

Le même soir, il s'installait à l'auberge. Naturellement, il avait bien compris qu'il n'était pas convenable qu'un Guilvinec, maintenant qu'il était démasqué, demeurât davantage l'hôte des Le Meur. Il fallait laisser à la vieille maison le temps d'oublier son ancienne hostilité et de s'habituer à lui, à Géraldine le loisir de clamer sa rage vindicative, qu'elle savait si bien communiquer à Anaïs. Tant de haine avait laissé son empreinte dans les pièces aux lourdes draperies, dans la pénombre des corridors!

Il appartenait à Stella et à son jeune amour d'exorciser Maison Rousse.

Pensionnaire du père Corentin, Gordon voyait impatiemment couler les jours. Il avait hâte d'emmener au loin celle qui allait devenir sa femme. Il avait précipité les démarches pour obtenir ses papiers, demandé à l'abbé Garlic de procéder à la publication des bans.

Stella eût voulu éterniser les minutes. Certes, il lui tardait d'appartenir à Gordon. Mais à présent qu'elle se savait chérie par lui, qu'elle envisageait l'avenir avec d'exaltantes perspectives, elle pensait non sans un lourd regret à tout ce qu'elle allait laisser derrière elle: Maison Rousse, l'aïeule infirme, son île rude et sauvage.

— Ne nous attendrissons pas, disait Marie Le Meur. Les oiseaux doivent quitter leur nid. Ton destin n'est pas de demeurer ici, auprès d'une vieille femme impotente.

— J'ai le cœur gros de vous quitter...

— Bah! on finit toujours par tout quitter... même les principes. Qui m'aurait dit que je verrais un jour d'un œil satisfait une union entre Guilvinec et une Le Meur?...

Le regard mélancolique de la vieille femme franchissait la fenêtre pour aller cueillir des souvenirs dans le décor qui avait été celui de toute sa vie.

— Et moi aussi, continuait-elle de sa voix rauque, qui le devenait davantage lorsqu'une émotion secrète entamait son apparente insensibilité, je quitterai bientôt tout ce à quoi je m'étais attachée. Raison de plus pour que je me réjouisse de te voir casée, petite...

Ces choses projetaient leur ombre sur le bonheur radieux de Stella, mais elle chassait la tristesse qui, passagèrement, étreignait son cœur. Elle sera la femme de Gordon: quelle objection pouvait rester valable devant cette immense joie?

Elle repoussait délibérément le passé loin de son esprit. Le présent était merveilleux et l'avenir plus merveilleux encore.

Des images affluaient dans l'imagination fébrile de Stella. Des images si séduisantes... Le jeu des anticipations l'enchantait. Elle s'y

livrait tout en préparant le modeste trousseau
qu'elle emporterait lorsqu'elle quitterait l'île.
Dans quelques semaines, ce serait Noël... Noël
avec Gordon! Un Gordon rieur et toujours un
peu taquin qui sortirait de sa poche un paquet
enveloppé de faveurs colorées.

— Devinez ce que j'ai pour vous, ma
chérie? dirait-il en la considérant à travers
ses cils, avec cet air vaguement ironique
qu'elle aimait et redoutait à la fois.

Elle applaudirait d'avance, piafferait
d'impatience comme une jeune pouliche,
avancerait sa figure avide et émerveillée.

— Fermez les yeux, dirait Gordon, autoritaire.

Il attacherait des perles autour de son cou,
un bracelet autour de son poignet ou un clip
à son corsage. Et ce serait de merveilleuses
perles, des chaînes d'or aux maillons serrés
ou peut-être, simplement, des fleurs qu'il pla-
cerait à sa ceinture ou sur son épaule...

Qu'importe... Ce seraient les mains de Gordon à sa nuque ou à sa taille, la voix de
Gordon près de son oreille troublée...

Elle dirait à son tour :

— Venez aussi, j'ai une surprise.

Et il y aurait la table blanche et fleurie aux
cristaux étincelants, les baies rouges du houx,
ses feuilles luisantes et vernissées, le gâteau
de Noël aux bougies brillantes, les frêles
bateaux qu'elle aurait amoureusement sculp-
tés dans de fragiles coquilles de noix.

Plus tard, il y aurait aussi le sapin avec ses

guirlandes et ses lumières, ses branches char-
gées de joujoux, et des enfants bouclés dansant une ronde autour de l'arbre. Dieu!
quelles perspectives adorables! Qu'il faisait
bon vivre, depuis qu'elle avait conquis Gordon!...

Même la froide et sèche désolation de sa
sœur — que l'inexplicable disparition de
Jean torturait et qui le cachait farouchement — n'arrivait pas à entamer cette réserve
de joie qui était la part de Stella depuis ses
fiançailles.

Tous les après-midi, Gordon venait la voir.
Il claudiquait encore un peu et se servait de
sa canne, mais ses pas redevenaient plus assu-
rés de jour en jour. Parfois, lorsque le temps
était doux, ils faisaient ensemble de longues
promenades sur la lande, dans le vent de
mer.

En les voyant passer, tous les gens de l'île
se précipitaient sur le seuil des portes.

— Stella!... Et ce jeune homme qu'on dit
être un fils Guilvinec? C'est pas Dieu possible!

Insoucieux des commérages et de la curiosité villageoise, ils allaient vers la mer, à travers le sable et les rochers, et ils s'asseyaient
sur le promontoire. Devant eux, s'érigeait la
tour démantelée de Castel-Pirate.

— Allez-vous vraiment la faire abattre?
s'informa un jour Stella.

— C'est dommage, disait Gordon. Elle fait
bien dans le paysage.

— Elle fait honte au paysage, grondait Stella qui ajoutait tout de suite, après une moue confuse : Oh! pardon, Gordon!...

— Je ne vous en veux pas, ma chère, Castel-Pirate a toujours été pour vous et les vôtres l'antre du Loup-Garou. Etes-vous jamais allée la visiter seulement?

— Certes non. Elle nous a toujours paru receler des secrets maléfiques. Elle doit être pleine de corbeaux et de serpents.

— L'équipe que j'ai demandée au bourg doit arriver ces jours-ci. Mais avant de donner l'ordre aux démolisseurs de détruire Castel-Pirate, je veux qu'on aille voir les ruines ensemble. Vous voulez bien, petite fille? Ne serait-ce que pour vous assurer qu'elles sont moins sinistres qu'elles en ont l'air, et que votre juvénile imagination, appuyée par la traditionnelle aversion des gens de Maison Rousse, a fait tout le mal.

— J'irai, répondit Stella, refoulant ses répugnances secrètes.

... D'autres fois, assise au coin du feu, face à la chaise que son hôte s'était installée pour réchauffer ses jambes à la flamme, dans la demeure désertée par Géraldine, Stella, ses yeux purs rivés sur le visage de Gordon, l'écoutait égrener pour elle les souvenirs de sa vie passée.

— Parlez-moi de votre Amérique, priait-elle, fervente.

Gordon, avec des mots colorés et pleins d'enchantement, disait la maison de Rio, — le

jardin qui surplombait la mer, — la plus merveilleuse baie du monde, Stella! — la terrasse
où sa mère, en robe claire, offrait à goûter à
de belles dames qui riaient sous leurs vastes
chapeaux, balançant leurs fauteuils de rotin.
Elles étaient brunes avec de grands yeux langoureux, des dents éclatantes, et, lorsqu'elles
se levaient et descendaient les marches du bel
escalier, leurs robes bruissaient autour de
leurs jambes fines.

Tandis qu'il se livrait à ses évocations, de
temps en temps Anaïs apparaissait sur le
seuil, furtive et l'œil en biais. Elle prêtait
l'oreille, feignait de rapporter la vaisselle
dans le dressoir. Les brides de sa coiffe volti-
geaient belliqueusement derrière sa marche
silencieuse. Puis, elle repartait comme elle
était venue, raide et digne; mais, avant de
sortir, elle louchait vers le coin de l'âtre,
toutes les rides de son visage plissées comme
des gaufres.

Pendant que Gordon déroulait pour elle les
images de sa vie brillante, Stella, mentale-
ment, faisait des comparaisons. Elle pensait à
l'existence sauvage qui avait été la sienne, à
l'atmosphère austère de Maison Rousse, à ses
pantalons de drap grossier, à ses souliers à
lourdes semelles, à la barque qu'elle menait
par tous les temps.

Comment Gordon pouvait-il l'aimer, ayant
ces élégantes silhouettes de femmes dans la
mémoire? Comment appréciait-il la simplicité
rustique, la pauvreté de ses vêtements, le peu

de brillant de sa conversation et tout ce que
sa rigoureuse solitude avait mis en elle de
réserve et de timidité?...

Ce jour-là, elle ne put se tenir de chuchoter
anxieusement :

— Etes-vous sûr de m'aimer, Gordon?

Il enfonça son pénétrant regard dans les
beaux yeux gris fervents.

— Et vous, Stella?... Etes-vous sûre que
vous avez complètement exorcisé votre âme
de votre aversion pour les gens de Castel-
Pirate?

Elle secoua la tête, impatiemment.

— Pour moi, vous n'êtes pas « un » de Castel-Pirate. Vous êtes le mystérieux étranger
qui, un soir d'automne, sur la grève sauvage,
est entré dans ma vie...

Il porta à ses lèvres les doigts qu'il serrait
dans ses mains, sans cesser de la regarder.

— Mais, je voudrais aussi être pour vous
« un » de Castel-Pirate!... Voyez-vous, Stella,
dit-il en laissant errer ses yeux sur les
caprices de la flamme, songeusement, j'ai
beaucoup aimé mon père. C'était un honnête
homme, très droit et strict, et mon grand-père
Joël, que tous les vôtres ont en haine, était
aussi un très chic personnage. Si ma femme
pensait à eux avec... mépris et colère, cela
créerait une ombre sur notre amour. Nous
aurons des enfants communs, Stella. Et c'est
le nom de Guilvinec qu'ils porteront. Vous
comprenez?

Elle fit oui, pensivement. Et puis, elle porta

sa main à ses lèvres, dans un grand geste tendre.

— Vous êtes Gordon Guilvinec. Pour moi, désormais, il ne peut exister de plus beau nom. Tout ce qui s'y rattachait dans le passé est sorti de ma mémoire... et de mon cœur.

Il se pencha vers elle et baisa sa joue pure que le reflet du feu empourprait.

— Ma chérie, dit-il, intensément. Ma douce!...

Les yeux de Stella brillèrent, comme éclairés par une flamme intérieure.

— Oh! répétez-le encore, Gordon? C'est si merveilleux... Jamais je n'ai entendu ces mots-là... jamais! Depuis tant d'années, tout ce qui est moi vous attend... Et je me sens si humble... si démunie...

Il l'interrompit vivement, tandis qu'elle ouvrait les bras dans un mouvement puéril d'impuissance désolée.

— Vous êtes belle, Stella. La beauté est un présent précieux que l'on offre à celui qu'on aime.

— Mais, Gordon, peut-être que vous ne vous souvenez plus des autres femmes. Vous n'avez pas vu mes taches de rousseur... et ma grande bouche... et...

Il rit et la serra entre ses genoux avec une joie d'avare.

— J'adore vos taches de rousseur. Si vous ne les aviez pas, je vous demanderais de les poser... Ici... là... et là... avec un crayon à maquillage. Et votre grande bouche a un dessin adorable et une délicieuse moue dont j'aime l'expression, Stella chérie.

Il lui parlait de tout près, tendrement, comme à une enfant bien-aimée.

— Ah! fit-elle, je n'ai qu'une crainte, c'est que vous vous lassiez de la sauvageonne que je suis. Je voudrais tant être à votre hauteur, Gordon. Mais je ne sais pas grand-chose. Je suis ignorante de tout. Je ne suis jamais sortie de mon île. Que direz-vous quand vous me verrez au milieu des belles madames que vous fréquentez?

Il haussa les épaules.

— Croyez-vous que je vous aurais aimé si vite et si sûrement si vous ressembliez à ces belles madames? Vous m'avez plu telle que vous êtes, Stella... avec votre spontanéité... votre fantaisie, votre charme si personnel, et que vous n'avez appris ni dans les salons, ni sur les écrans des salles obscures, ni dans les revues à grand tirage à l'usage des femmes plus ou moins sophistiquées. Votre existence loin des êtres et de leurs vanités vous a enseigné la seule science, la seule sagesse qui vaille la peine...

— J'aime que vous me disiez toutes ces choses rassurantes, Gordon, murmura-t-elle avec un soupir de félicité, toujours assise à ses pieds et sa nuque sur le genou de Gordon. Vous êtes mon bien-aimé.

Ils restèrent là de longues minutes, écoutant le crépitement du feu, tandis que leur parvenait de la cuisine le bruit que faisait Anaïs en fourrageant dans ses casseroles. Les mains de Gordon flattaient les cheveux souples de Stella... et elle sentait son bonheur s'épanouir en elle comme une anémone de mer sur le sable des grands fonds.

X

Stella faisait un rêve pénible. Elle s'en éveilla frissonnante et inexplicablement effrayée.

Le jour filtrait à peine à travers les persiennes, un petit jour blême et indécis. La maison était étrangement silencieuse. Sauve-qui-peut quitta, avec une souplesse furtive et rapide de couleuvre, l'abri de son bras et chut sans bruit sur le sol. Elle se faufila dans les ténèbres de la pièce, comme si elle avait subi le contrecoup de l'émotion inconsciente de sa maîtresse.

Quel rêve Stella avait-elle donc eu? Il lui semblait que quelqu'un se tenait debout auprès de son lit, un doigt sur la bouche, en signe de mystérieux avertissement. Elle ne voyait pas son visage dans l'ombre, mais elle savait que ce visage était menaçant et terrible. Anaïs l'aurait pris pour un de ces fantômes de la lande qui montent de la mer, formes longues et vagues aux cheveux mouillés comme des algues et qui viennent, en tra-

versant magiquement portes et fenêtres
closes, jusqu'à l'intérieur des maisons, affoler
les humains par leur présence...

Stella assimilait sa vision à Géraldine... Oui,
son rêve semblait avoir pour pivot Géraldine
et ce n'était pas Géraldine, pourtant, qui
l'avait regardée aussi mystérieusement, terriblement...

Soudain, comme l'angoisse étreignait son
cœur, elle distingua la tache claire que faisait
sa robe, posée sur le dossier du fauteuil à
oreilles, près du foyer. Alors, la conscience
des choses lui revint et la joie se réveilla en
elle comme une flamme.

C'est aujourd'hui qu'elle allait revêtir sa
toilette de mariée, que la couturière Lison lui
avait livrée la veille; l'heure allait sonner où
elle serait unie à Gordon.

L'intensité de son bonheur dissipa toutes les
brumes du sommeil et chassa bien loin les
derniers miasmes de ce rêve insensé. Elle
s'étira, frottant ses yeux avec ses poings
comme une enfant, et demeura immobile à
savourer sa renaissante félicité.

Tandis qu'elle prenait son tub dans le cuvier
de la buanderie, elle se remémora les phases
du séjour de Gordon à Maison Rousse et la
façon dont ils s'étaient retrouvés, le premier
matin. Elle revivait complaisamment ces circonstances, comme elle eût relu les pages d'un
roman passionnant et enchanteur.

Elle alla prendre son petit déjeuner dans la
chambre de sa grand-mère. C'était leur der-

nier jour d'intimité, puisque, ce soir, elle serait la femme de Gordon. Marie Le Meur, pour échapper à la mélancolie de sa proche séparation, bavarda gaiement avec sa petite-fille.

Néanmoins, ce fut elle qui, la première, mit un terme à leurs épanchements.

— Va t'habiller, ma petite. Neuf heures ont déjà sonné à l'horloge. L'abbé Garlic n'aime pas qu'on soit en retard.

Stella guetta le temps, derrière la vitre. Le soleil ne se décidait pas à apparaître. Le ciel restait maussade et la mer bourrue. Mais une telle allégresse habitait son âme qu'elle se reflétait sur les choses.

En raison de l'absence des deux hommes de Maison Rousse, aucune fête n'avait été prévue. Au surplus, Gordon s'y fût opposé.

— Je tiens à ce que tout se passe le plus simplement du monde, avait-il dit. Ensuite, je vous amènerai, Stella, vers votre vie nouvelle.

L'idée de ce royaume inconnu où elle allait bientôt aborder, la main dans celle de son bien-aimé, emplissait le cerveau de la jeune fille d'une merveilleuse griserie.

Vers dix heures, Géraldine entra dans sa chambre.

— Comment! s'étonna Stella, tu n'es pas encore habillée?

Elle considérait avec surprise la tenue de sa sœur qui portait négligemment sa robe de tous les jours.

Géraldine serra les lèvres.

— Je ne m'habille pas. Je n'irai pas à la cérémonie.

— Oh! Géraldine, tu ne vas pas me faire ça? proféra la cadette, suffoquée.

— Je le ferai. Je n'ai nulle envie d'entériner par ma présence une union que je n'approuve pas.

— C'est bon, dit Stella, outrée. Je me souviendrai toujours que tu as refusé d'assister à mon mariage.

— A *ton* mariage avec *un* Guilvinec, parfaitement. Pour moi, tu n'es déjà plus une Le Meur. Tu es passée à l'ennemi.

— Oh! Géraldine, encore ces vieilles rengaines? Voyons, plaida-t-elle avec un effort de conciliation qui eût dû toucher l'aînée si celle-ci n'avait été à ce point butée, les ouvriers commandés par Gordon ont déjà commencé à déblayer les ruines du castel. Bientôt, la tour et ses pierres maudites n'existeront plus pour nous rappeler tant de souvenirs tragiques. N'est-ce pas une victoire que nous remportons, en définitive, sur les Guilvinec?

Géraldine secoua farouchement la tête. Nul argument ne pouvait la toucher. L'anxiété dans laquelle elle avait été si longtemps, les larmes versées en cachette, l'humiliation de l'abandon auquel la défection de Jean la condamnait, tout cela avait amaigri ses traits qui semblaient plus durs. Dans son cœur

amer d'épouse délaissée, la haine n'était pas
prête à désarmer.

Elle adjura sa sœur, une dernière fois, d'un
ton pathétique :

— Je suis venue pour te supplier encore de
réfléchir. C'est toute ta vie que tu vas engager
avec ce... cet HOMME...

Elle prononçait le mot avec un indicible
mépris qui en faisait la pire des injures.
L'orgueil de Stella se cabra.

— J'aime Gordon, je te l'ai déjà dit. Tous
tes efforts pour m'éloigner de lui seront vains.
Aujourd'hui même, je serai sa femme.

La voix de Géraldine enfla, tandis que son
visage sévère prenait un air inspiré :

— Alors, tant pis pour toi! Les Signes sont
contre cette union. Cette nuit, un bruit m'a
éveillée. C'était comme des coups de marteau
sur une planche. Je me suis levée et je suis
allée dehors. Rien, ni personne. J'ai essayé de
me rendormir. Pan, pan, les coups ont repris
de plus belle. Alors, j'ai compris : on clouera
bientôt un cercueil dans cette maison, Guilvinec a amené le malheur avec lui.

Elle contemplait Stella d'un air prophé-
tique, sombre comme une Parque.

Stella pensa à son propre rêve. Mais elle
refusa de se laisser impressionner. Les mains
sur les oreilles, elle se détournait de sa
sœur.

— Assez... assez!... Je ne crois plus à ces
choses. L'abbé Garlic lui-même te dira qu'il
est impie de colporter toutes ces superstitions

absurdes. Et Gordon m'a expliqué combien
tous ces présages sont dénués de sens. Ne
viens pas troubler mon jour de mariage avec
tes histoires de l'autre monde.

Géraldine serra les lèvres et prit sa tête de
bois.

— Je vois que tu renies tout ce qui fut tes
croyances, tout ce que tu avais appris à respecter. C'est l'œuvre de ce brigand.

Sa fureur brûlait en elle comme le feu sous
la tourbe. Elle allait partir en claquant la
porte, lorsque Gordon frappa. Il apportait un
bouquet de roses blanches pour sa fiancée,
des roses qui avaient dû venir de l'autre côté
de l'eau et qu'un pêcheur avait passées. Stella
y plongea son visage empourpré.

Mais elle ne pouvait donner le change à
Gordon, qui posait sur la face hermétique de
Géraldine ses yeux passionnés.

Il était déjà habillé pour la cérémonie. Il
portait un costume bien coupé qu'il était allé
chercher la veille au bourg, à l'arrivée de
l'autobus. Il vit tout de suite que quelque
chose n'allait pas entre les deux femmes. Il
s'adressa à l'aînée sur le ton badin et insou-
ciant qu'il avait coutume de prendre avec elle
et qui la hérissait toujours :

— Vous voilà encore partie en croisade
contre moi, ma chère sœur?

— Je vous interdis de m'appeler *votre*
sœur, fulmina Géraldine, les joues enflam-
mées.

Stella se jeta contre la poitrine de Gordon

comme la barcarolle en détresse se réfugie vers le port sauveur.

— *Elle* prétend qu'elle a eu des Signes...

Elle lui raconta l'incident des coups de marteau d'une voix mi-incrédule, mi-terrifiée. Géraldine se tenait droite, les bras croisés sur son fichu, figée dans une hostilité inébranlable.

Gordon se mit à rire. Son rire exorcisait l'atmosphère. Tout semblait soudain plus clair, débarrassé des miasmes malsains.

— Géraldine a oublié que votre cousin Casimir, qui est venu du fond de l'île, hier soir, pour servir de témoin à notre union, a mis son cheval à l'écurie déserte; ce sont ses coups de sabots impatients que Géraldine a entendus.

A son tour, Stella rit, allégée. Géraldine partit, furieuse, rabattant la porte sur ses talons.

— Comme tout se dissipe dès que vous êtes là, Gordon! dit la petite fiancée, tendrement.

— Votre sœur est une sotte de vous affliger, surtout en un pareil jour, grogna Gordon, fâché. On se demande si c'est, de sa part, sottise ou malveillance?

Il interrogeait du regard le frais visage levé vers lui. Il avait un air sérieux qui troubla Stella.

— Ce n'est pas sa faute, plaida-t-elle, compatissante. Depuis que Jean est parti, elle se ronge de tristesse.

— Ce n'est pas cela qui le fera revenir. Elle
ferait mieux de l'oublier, rétorqua-t-il rudement. C'est tout ce qu'il mérite.

« C'est drôle, pensa Stella. Lui qui est toujours indulgent pour tous semble éprouver
une instinctive aversion pour ce Gallahan
qu'il ne connaît pas. Evidemment, l'attitude
de Géraldine n'est pas faite pour arranger les
choses. »

L'arrivée d'Anaïs interrompit leur tête-à-
tête.

— On peut entrer? demanda la vieille
bonne qui n'attendit pas la réponse pour
pénétrer dans la pièce.

Sa silhouette alourdie obstrua le cadre de la
porte. Elle n'avait pas négligé, elle, de se
parer pour la noce. Pouvait-elle, malgré son
ressentiment, se priver d'accompagner à
l'autel la petiote, alors que la vieille madame
était couchée sur son lit d'infirme et que
Géraldine se refusait à remplir ses devoirs
d'aînée?

Elle avait revêtu sa robe des grands jours,
son collet de marabout, sa coiffe brodée et
empesée.

— Dieu! que vous êtes belle et majes-
tueuse, Anaïs! admira le marié en contem-
plant la Bretonne d'un œil admiratif. Vous
avez l'air d'une frégate qui avance, bravant la
houle et les embruns.

Anaïs lui jeta un coup d'œil réprobateur.
Puis, elle haussa les épaules, et, désignant

d'un doigt sévère le peignoir qui revêtait la future petite mariée :

— Tu es encore à ce négligé? Et Lison, la couturière, qui arrive pour les derniers préparatifs. Il serait temps qu'*on* te laisse t'habiller, M. le recteur n'attendra pas.

— Je m'en vais, je m'en vais, Anaïs, plaida Gordon en riant. Ne me faites pas ces yeux féroces. A tout à l'heure, chérie...

Un baiser s'envola du bout de ses doigts, tandis que le regard de tendresse de Stella le suivait dans sa fuite.

Toujours grommelante, Anaïs fit entrer Lison. C'était la couturière du pays. Elle était petite et noiraude, avec deux yeux minuscules pareils à des grains de cassis. Elle apportait un carton et une sébille d'épingles. Elle poussa les hauts cris quand elle s'aperçut que Stella était encore en combinaison de linon.

— Tout le monde est déjà prêt. La mariée sera en retard, prédit-elle en s'affairant autour de Stella comme une abeille.

Elle avait mis d'autorité la sébille dans les mains d'Anaïs.

— Que dit-on de mon mariage avec Gordon Guilvinec? s'informa Stella. Les langues doivent marcher bon train dans le village?...

Elle n'ignorait pas que Lison était la première à renseigner les commères et s'en amusait.

— Vous vous mariez pour vous, mademoi-

selle, émit sentencieusement Lison, et pas
pour les bonnes gens.

Elle rectifia le pli de la jupe de la mariée, y
plaça une épingle et continua, hochant sa petite tête d'oiseau desséché :

— C'est une bénédiction que M. Hervé ou
M. Gallahan n'ait pas été là, ils n'auraient
pas vu ce mariage d'un bon œil.

— Cela ne les regarde pas. Grand-mère est
contente, elle, décréta Stella, enchantée de
clouer le bec aux commères dans la personne
de leur représentante la plus qualifiée.

Anaïs gardait un silence buté. Mais la
réflexion de la jeune fille la fit sortir de son
mutisme.

— Il faut bien qu'elle soit devenue folle,
notre dame, d'accepter une pareille union
dans sa famille. Cet homme est un suppôt de
Satan!

— Oh! Anaïs...

Stella se tourna vers la vieille bonne avec
colère. Mais devant l'expression malheureuse
du vieux visage renfrogné, toute son irritation
tomba. Anaïs avait pleuré. Des traces de
larmes étaient encore visibles à ses rides.

— Pourquoi es-tu méchante? demanda-
t-elle doucement.

— Moi, méchante? Parce que — Anaïs jeta
en avant un geste de défense — je tente de te
protéger contre cet envoyé du diable?

Stella frappa du pied, arrachant le volant
de sa jupe aux doigts experts, mais inatten-
tifs, de Lison, accroupie à ses pieds.

— Le diable! le diable... tu n'as que ce mot dans la bouche. Je finirai par croire que tu as fait un pacte avec lui.

— Si c'est Dieu possible! Tu as fini de blasphémer? s'indigna la Bretonne en se signant.

— Mais c'est vrai! Tu mets toujours Satan et ses démons là où ils n'ont que faire. Enfin, que reproches-tu à Gordon?

— D'être lui, pardine.

— Ça ne tient pas debout. Tu ne peux donc pas renoncer à tes absurdes rancunes et lui être un peu reconnaissante de me donner tant de bonheur? Tu ne veux pas te réconcilier avec lui, même aujourd'hui? Enfin, veux-tu que je sois heureuse, oui ou non?

— Il n'y a pas que d'être heureuse qui compte, dit la vieille sombrement.

— C'est ton avis. Permets-moi d'en avoir un différent du tien.

— Tu aurais pu être heureuse avec un autre. Un qui ne serait pas de cette race Guilvinec.

— Qui, par exemple? Un autre Jean Gallahan, peut-être? Trouves-tu que ma sœur ait si bien choisi? La voilà seule à cette heure... et dolente... et...

Elle perçut le regard aigu des petits yeux en vrille fixés sur elle et se tut. Allons, ce n'était pas la peine de donner encore matière aux commérages des îliens, en épiloguant sur l'étrange conduite de son beau-frère.

— Chacun porte son destin, grommelait

Anaïs, farouche. Toi, tu vas àu-devant du
tien comme une alouette aveugle.

— Et, toi, tu ne fais que remâcher de vieux
griefs, des haines imbéciles, alors que tu
devrais te réjouir de me voir heureuse. Tiens,
tu ne m'aimes pas.

Anaïs laissa tomber la sébille et planta,
d'un geste brusque, sur ses hanches ses bras
frémissants.

— Regardez-la, elle délire. Je ne t'aime pas,
moi qui donnerais pour toi ma part de para-
dis?

Elle tendait vers la jeune fille son visage
désespéré, dont les rides se faisaient plus
moroses.

Stella sourit.

— Allons,   embrasse-moi,   vieille bête!
Aujourd'hui est le plus beau jour de ma vie.
Ne le sais-tu pas?

Anaïs obéit de mauvaise grâce et partit
pour aller calmer son émotion dans sa cuisine. Lison soupira et reprit son travail. Tout
en finissant d'habiller la mariée, elle continuait à bavarder, changeant de sujet.

Les ouvriers qui devaient démolir Castel-
Pirate logeaient chez Corentin. Ils avaient
donné le premier coup de pioche... Celui qui
les commandait, un contremaître d'allure cos-
taud, n'avait pas froid aux yeux. On disait
qu'un architecte était venu de la ville, mandé
par le descendant Guilvinec.

— C'est-y vrai, mam'zelle Stella , que votre
fiancé va faire tout démolir?

— Oui... Et il y aura bientôt une villa neuve
à la place de la vieille tour.

La couturière a levé la tête.

— Et vous n'avez pas peur? s'effara-t-elle.

— Peur de quoi?

— On dit que cela porte malheur de toucher à la tour.

— Encore ces superstitions! s'impatienta
Stella. Mais, ma pauvre Lison, Gordon a raison quand il dit que nous l'attirons, le malheur, à force d'en parler...

Néanmoins, elle pensa à son rêve et ne put
s'empêcher de frissonner. Certes, elle a
changé depuis que Gordon a tenté de la
débarrasser de tous ces épouvantails dont on
lui a encombré l'esprit dès l'enfance; mais il
lui en reste quelque chose, une vague et
enfantine terreur.

Lorsque la couturière s'en est allée, satisfaite de son œuvre, la petite mariée se hâte
d'allumer deux chandelles de chaque côté de
la statuette de sainte Anne qui orne la cheminée de sa chambre. Ah! que la sainte fasse
tomber la chaîne des sortilèges et qu'elle
protège son jeune amour!...

-:-

Marie Le Meur, par la fenêtre qu'on a
ouverte en grand, vit de son lit partir le cortège vers la mairie et l'église.

En tête, était le cousin Casimir, tout faraud
de donner le bras à la mariée. Gordon mar-

chait derrière, suivi à trois pas par Anaïs qui
avançait comme un navire, dans le balance-
ment de ses lourdes jupes. La Corentine,
petite et grosse, faisait tous ses efforts pour se
maintenir dans son sillage, anxieuse de son
homme qui, en raison des préparatifs du
repas dont il avait été chargé, devait se
rendre directement sur les lieux de la cérémonie.

De sorte que Gordon, dans ce cortège nup-
tial, gardait son air d'étranger.

« Curieux qu'il n'ait fait venir personne de
sa famille ou de ses amis! » jugea Marie Le
Meur, toute pensive.

Elle ne pouvait détacher son regard de la
haute silhouette qui fléchissait à peine sur la
canne dont Gordon se servait encore comme
point d'appui. Il était tête nue et ses cheveux
brillaient dans le soleil.

« Comme il ressemble à Joël! » se prit à
murmurer la vieille dame.

... Derrière le volet rabattu par la main
hargneuse de Géraldine, le rideau se souleva
légèrement. Par l'entrebâillement de la fenêtre, les yeux de l'aînée accompagnaient aussi
le cortège. Mais il n'y avait aucune douceur
dans leur regard têtu.

-:-

Le vieil homme qui remplissait les fonc-
tions de maire, dans l'île, depuis plus de vingt
ans, serra les mains du couple. Les témoins

apposèrent leur nom sur le registre d'une écriture appliquée et enfantine. Puis la petite troupe sortit du bâtiment.

Dans l'air réchauffé par le soleil de midi, les cloches sonnaient. Les gens — tous ceux qui n'étaient pas dans la nef à attendre les mariés — se pressaient sur le seuil de leurs basses maisons.

Un vent frais et salé soufflait, soulevant le voile de Stella. La mer était devenue claire d'un coup; le ciel pur et libre semblait plus profond que l'océan.

Stella se tourna vers Gordon, attirée par un magnétique appel. Il sourit, mystérieux, secret, caressant.

— Dans un instant, ma chère, disaient ses yeux.

Elle se sentit soulevée d'un élan inconnu. Au bras du cousin Casimir qui représentait aujourd'hui son père mort, son frère absent, elle passa fière entre la haie des villageois curieux et sympathiques. Elle eût voulu serrer l'île sur son cœur, la prendre tout entière entre ses bras et lui crier sa joie.

Que l'univers était beau! Ils avançaient sur le sauvage sentier, à travers un paysage de rêve. L'herbe inculte devenait sous leurs pieds un tapis royal.

Lorsque le cortège y parvint, l'église était bourdonnante de sons. Devant l'autel, l'abbé Garlic attendait. On avait disposé deux prie-Dieu au velours rouge élimé pour les mariés.

Stella quitta le bras de son cousin et vint
s'agenouiller auprès de Gordon. Le service
divin commença dans un silence pénétré.
Stella priait avec ferveur : « Mon Dieu, je
vous confie grand-mère, puisque bientôt je ne
serai plus là pour la soigner et la distraire!
Epargnez Hervé, là-bas, sur la mer dange-
reuse, et ramenez Jean à Géraldine pour
qu'elle puisse retrouver le bonheur et la
paix. »

Elle se demanda si les pensées de Gordon
côtoyaient les siennes. Sans doute, leurs
prières montaient-elles ensemble, s'en allant
de concert comme deux mouettes sur la
mer?

De biais, elle coula vers lui son regard
chaleureux : le visage de Gordon était grave,
tendu, presque douloureux. Elle en fut troublée et déconcertée. Quel souci le taraudait, à
cette heure où il eût dû être tout entier à la
joie? De quelle nature était donc son
tourment?

Il tourna la tête et son angoisse disparut. Il
sourit à la jeune femme.

La voix du prêtre s'élevait, solennelle :

— Gordon Guilvinec, consentez-vous à
prendre pour épouse Stella Le Meur?

— Oui, dit fermement Gordon.

— Stella Le Meur, consentez-vous à
prendre pour époux Gordon Guilvinec?

— Oui, approuva Stella, avec une indicible
émotion qui fit trembler sa voix.

Le prêtre prononça les mots sacramen-
tels.

La main de Gordon s'était posée doucement
sur celle de Stella. *Sa femme!*

Elle était sa femme. Le mot s'inscrivit dans
sa pensée en lettres de flamme et la fit tressaillir. Gordon passait à son annulaire
l'anneau bénit. Il lui sembla que son sang, le
sang de Gordon, s'infusait dans ses doigts et
se répandait à travers son corps. Elle était
sienne, désormais, devant Dieu et devant les
hommes et aucune puissance au monde ne
pourrait les séparer.

XI

Les corneilles qui hantaient avec les cormo-
rans la tour du Pirate s'envolèrent en pous-
sant des cris discordants. Un camion venait de
s'arrêter juste au pied des ruines, après s'être
frayé un chemin à travers la piste caillou-
teuse, envahie d'herbe rampante, que les
humains ne foulaient plus depuis longtemps.

La veille, le chef d'équipe, sur les instruc-
tions de l'architecte qui avait étudié les lieux
quelques jours plus tôt, pour obéir aux ins-
tructions de Gordon, était venu suspendre son
écriteau juste au pied de la tour.

ENTREPRISE PERUZZI
Travaux en cours
Ne pas pénétrer sur le chantier

Les hommes débarquèrent du camion et
descendirent leurs outils. Le gros du matériel,
les grues et les excavatrices arriveraient un
peu plus tard. Le chef d'équipe distribua le

travail à chacun. Puis il s'en fut explorer les
voûtes et les salles démantelées du vieux castel, où les oiseaux de nuit avaient élu domicile. A ce même moment, les cloches de
l'église sonnaient pour l'entrée dans la nef des
jeunes époux.

L'homme, indifférent à cet appel, descendit
le sentier aux pierres éboulées qui chemi-
nait dans les ruines : avec lui, le destin
s'était mis en marche.

-:-

La première chose que voulut Stella,
l'office terminé, après avoir reçu les congra-
tulations des personnes présentes, ce fut de
courir avec son mari embrasser Marie Le
Meur.

Celle-ci, pour la circonstance, s'était fait
apporter son meilleur bonnet.

Son visage sensible respirait une satisfaction profonde et mystérieuse. Ses yeux graves
accueillirent le nouveau couple.

— Sois un bon époux pour elle, dit-elle en
regardant le jeune homme droit dans les
yeux. Et toi, petite, oublie désormais qu'avant
d'être une Guilvinec tu fus une Le Meur.

— Chère grand-mère!

Les paupières de Stella étaient humides.
Pour cacher son émotion, elle se détourna,
détacha son voile et sa couronne et les posa
sur le lit de l'infirme.

— Ils iront rejoindre ceux de ta mère sous

le globe, décréta l'aïeule. Chaque fois que
mes regards se porteront vers lui, je prierai
pour ton bonheur.

Les valises de Stella étaient prêtes. La
femme Janie, qu'on appelait à la rescousse
dans les grandes circonstances et qui n'avait
pas marchandé ses servcies en ce grand jour,
les avait déjà transportées dans la salle.

Tout à l'heure, lorsque le repas serait terminé chez Corentin et qu'on aurait satisfait
aux usages qui veulent qu'on nourrisse tous
ceux qui sont venus de loin assister et féliciter
les nouveaux mariés, le couple prendrait
congé de la vieille demeure.

La brouette de Jean-Marie, le jardinier de
l'île, cahoterait les bagages jusqu'au môle.
Pour la dernière fois, Stella détacherait les
amarres de la barque et elle « passerait »
Gordon, comme elle l'avait déjà fait le soir où
la main de Dieu l'avait guidé vers le petit
embarcadère.

Au bourg, en face, ils prendraient l'autobus
et ensuite, à la ville que ne connaissait pas
Stella, le train qui les emporterait vers la
capitale. A cette pensée, Stella éprouvait une
étrange impression : elle était partagée entre
la joie et le déchirement de la proche séparation.

Les joies humaines ne peuvent donc être
parfaites?

Mais son malaise ne dura pas, l'allégresse
l'emportait : Gordon l'aimait et tout l'espoir
du monde chantait dans sa poitrine.

Son bonheur l'inclina à l'indulgence et à la
générosité. Elle eût voulu que tout le monde
fût heureux, pour partager son état d'âme.
Elle pensa avec émoi à Géraldine, seule et
farouche, repliée sur sa peine en ce jour écla-
tant. Pauvre Géraldine! Une immense pitié
l'envahit.

Elle essaya de fléchir sa sœur, de l'entraîner au repas, de la distraire de son tourment.
Mais, enfermée dans sa chambre, Géraldine
resta sourde à ses appels.

En soupirant, Stella rejoignit Gordon. Il
s'était assis dans l'enclos sur le banc de pierre
et regardait dans la direction du petit port. Il
avait l'air étrangement absorbé et pensif.

Elle glissa sa main dans la sienne.

— Mon mari!...

Toute la ferveur et l'orgueil de l'épouse
amoureuse tremblaient dans ces syllabes, si
nouvelles à ses lèvres et dont il lui semblait
qu'elle n'épuiserait jamais l'enchantement.

La chaude pression de la main de Gordon
répondit à la sienne.

— Ma femme chérie!

Il abaissa son visage vers elle et lui sourit.

— Tout est-il bien comme vous le rêviez,
Stella? Avez-vous fini de croire aux mauvais
présages?

Stella secoua la tête. Près de lui, certes, rien
ne pouvait l'atteindre. Le soleil était si clair,
l'azur si gai. Quels maléfices auraient pu se
cacher dans cette clarté?

Elle contempla la douce baie si calme sous

le ciel de midi. Dans le port, en face, il y avait
toute une flottille de pêche à l'amarre. Les
traits de Stella s'assombrirent légèrement :
elle pensa à Hervé.

— Je regrette seulement que nous ne
soyons pas au complet, exprima-t-elle en suivant de l'œil un vol de mouettes qui croi-
saient dans le vaste espace bleu.

Soudain, elle sentit tressaillir contre son
bras le bras de Gordon. Elle vit qu'il regardait
les mouettes à son tour. Leur bande tourbil-
lonnait en croassant au-dessus de la tour,
presque rose sous le ciel. L'air était si limpide
qu'elle pouvait distinguer les allées et venues
des hommes, s'affairant au pied des ruines.

Les mouettes se rassemblaient plus nom-
breuses au-dessus de leur objectif. Elles
volaient de plus en plus bas. Gordon, comme
mû par une impulsion soudaine, lâcha la
main de sa compagne et rentra vivement dans
la maison.

Il revint presque aussitôt, portant les lorgnettes qu'on laissait toujours accrochées
dans l'entrée. Il fixa l'appareil à ses orbites et
regarda intensément. Quelque chose avait
insensiblement modifié son visage flegma-
tique. Stella y lut une émotion qu'elle ne lui
avait jamais encore vue.

— Qu'y a-t-il? s'informa-t-elle, curieuse, à
peine inquiète. Vous voyez les hommes sur le
chantier?

Il ne répondit pas. Il continuait à fixer ce
point qu'il avait accroché dans son objectif et

qui semblait le passionner inexplicablement.

Soudain, il prononça d'une voix rauque :

— Excusez-moi un instant.

Elle le vit s'élancer dans le chemin, à
longue enjambées. Dans sa hâte, il ne boitait
presque plus.

— Gordon! cria-t-elle, mais où allez-vous
donc?

Il ne se détourna pas, mais lui cria :

— Surtout, ne bougez pas d'ici!

— Mais, enfin, Gordon...

Son appel se perdit sur la lande.

Elle jeta autour d'elle un regard déconcerté, aperçut les lorgnettes qu'il avait posées
sur le banc de pierre. Elle s'en empara, les
porta à ses yeux avec fébrilité, fixa l'objectif
de la tour du Pirate.

Elle vit des hommes s'agiter autour de
quelque chose qu'elle ne distinguait pas. Une
silhouette se détacha du groupe penché, courut au-devant de Gordon, le rejoignit. Les
deux hommes retournèrent en courant dans
la direction du castel.

Stella voulut s'élancer à son tour. Qu'était-il
arrivé? L'angoisse se noua à sa gorge. Mais la
défense de Gordon la cloua sur place. « Ne
bougez pas d'ici », avait-il dit. Elle était sa
femme, elle devait obéir, et son injonction lui
barrait la route mieux qu'une infranchissable
roche.

... Des minutes passèrent qui parurent des
heures à Stella. Un volet battit enfin au-des-

sus de sa tête : la tête de Géraldine apparut,
de Géraldine qui daignait sortir de sa
retraite.

— Qu'y a-t-il? dit-elle de sa voix rauque.
Où est allé Gordon et que se passe-t-il à la
tour du Pirate?

— Comment le saurais-je? Il m'a défendu
d'y aller.

Le volet se rabattit. Bientôt, Stella entendit
le pas de sa sœur dans le vestibule. Géraldine
émergea dans la clarté du dehors. Elle était
très rouge, avec des yeux aux pupilles élar-
gies. Elle parla d'une voix narquoise et agressive :

— Il t'a défendu, vraiment? Eh bien! moi,
j'y vais.

Elle croisa sa pèlerine sur sa poitrine et
partit d'un pas saccadé. Alors, incapable de
supporter davantage son anxieuse attente,
Stella monta se réfugier chez Marie Le
Meur.

-:-

La nouvelle se répandit dans l'île comme
une traînée de poudre. Ce fut un des hommes
du chantier qui l'apporta à l'auberge, en
allant téléphoner. Il téléphonait à la gendarmerie du bourg.

La mère Corentin, qui se trouvait dans la
salle où était la cabine, en eut vent la première. Elle vint trouver son mari, en train de
servir du cidre bouché aux gens de la noce

pour les faire patienter en attendant les mariés.

— Paraît qu'on a découvert un corps dans la tour du Pirate!

— Un corps?

Ebahi, le bonhomme dévisageait sa moitié.

— Dame, un corps mort. Un cadavre, quoi.

— Noyé?

Cela seul pouvait venir à l'idée des gens de l'île pour qui tout accidenté ne peut être qu'un noyé.

— Je ne sais pas. C'est un des ouvriers étrangers qui l'a trouvé dans les ruines du castel.

Les premiers qui avaient entendu l'information la communiquèrent aux autres. Tout le monde se regardait, effaré et animé d'une ardente curiosité. Anaïs, qui avait suivi les invités pour s'occuper de les faire servir, hocha la tête. Elle était plus blanche que sa guimpe.

— Je l'avais-t-y pas dit que ce mariage portait malheur. Et qu'il y aurait un cercueil par ici?

Et puis, on vit passer sur le sentier Géraldine échevelée, soutenue par deux ouvriers du chantier. Elle tendait le poing dans la direction des ruines, en proférant des mots qu'on n'entendait pas.

La première, Anaïs s'élança hors de

l'auberge, suivie aussitôt par le groupe des
invités. Elle courut vers sa maîtresse. Celle-ci
se jeta dans ses bras. Elle sanglotait.

— Mort! Mon Jean est mort!

— Mort? M. Jean? s'exclama la vieille
bonne, incrédule.

— Ils ont trouvé son corps. Dans une des
pièces de la tour.

Les ouvriers confirmèrent la nouvelle.

— Mais comment était-il là-bas? s'inquiéta
Anaïs, abasourdie.

La veuve redressa son masque hagard où se
lisait une haine farouche.

— C'est *lui* qui l'a tué... *lui*, le maudit. Et il
a encore eu le front d'entrer dans notre
famille!

— Lui! Le Guilvinec? proféra Anaïs, les
yeux écarquillés.

Géraldine eut un geste dramatique.

— L'avais-je pas prédit qu'il nous apportait
le malheur? Bon chien chasse de race... Oh! je
le tuerai de ces mains-là... Je lui grifferai la
figure... Je lui piétinerai le cœur... Ah! mon
Jean... Hélas! tout cela ne me le rendra pas...
Pauvre de moi!

Et Géraldine, incapable de surmonter le
coup qui la frappait, s'écroula dans les bras
d'Anaïs, dont la voix affolée appelait au
secours.

Terrifiées et grelottantes, les femmes se
signèrent.

— La vendetta recommence...

-:-

Jean est retrouvé!

Anaïs est venue jeter l'alarme à Maison Rousse. Elle précède Géraldine que deux hommes emmènent en la soutenant chacun sous une aisselle.

Ayant jeté son cri, la Bretonne se ramasse et fait le dos rond. Tout le sang de Stella semble s'arrêter.

— Jean est retrouvé?

Elle se détache de la zone d'ombre où elle priait silencieusement près de Marie Le Meur, muette et anxieuse.

L'aïeule élève la voix. Elle devine, exige :

— Comment l'a-t-on retrouvé?

Anaïs courbe la tête. Elle fuit le regard ardent de Stella et lâche à regret :

— Mort.

— Accident?

C'est toujours l'aïeule qui questionne de sa voix sèche des jours sévères, tandis que Stella éclate en sanglots. Pauvre, pauvre Géraldine!

Anaïs secoue négativement les brides de sa coiffe.

— Où est-il? s'enquiert la voix brève.

— Dans la tour.

— Dans la tour!

Stella a jeté un cri d'épouvante. Elle se dresse à présent, ses larmes taries d'un coup et dévisage la fatale messagère.

— Où est Gordon? Que fait-il?

Les yeux d'Anaïs clignotent fiévreusement.
Elle baisse la voix.

— Il est resté avec les gens du chantier et
Péroudy, le garde-côte, qui est aussitôt venu
sur les lieux. Ils attendent les gendarmes.
Déjà, il y en a un qui est arrivé dans une
vedette du port, avec le docteur.

— Le docteur? Il n'est donc pas mort tout à
fait? On espère?

— On n'espère rien, coupa Anaïs. Mais il
faut faire un constat, qu'ils disent.

Stella reste un instant immobile, comme
pour laisser aux mots le temps de pénétrer
jusqu'à son intellect et d'y prendre leur
valeur d'images.

— Et Géraldine, où est-elle? Je veux la
voir!

Anaïs est allée se placer comme une borne
dans l'encadrement de la porte. Elle a un
geste de défense.

— Non, tu ne passeras pas. Il vaut mieux
pour toi que tu ne vois pas Géraldine maintenant.

— Pourquoi? Elle a besoin de moi. C'est
ma sœur, tout de même. Et puis, je dois
joindre mon mari...

La voix de l'aïeule s'élève à nouveau,
froide, impérative :

— Tais-toi un peu, Stella. Laisse Anaïs
s'expliquer.

Son regard scrute le visage décomposé

d'Anaïs dont toutes les rides tremblotent soudain.

— Tu n'as pas tout dit... Comment a-t-on
retrouvé le corps de Jean?

La vieille Bretonne bégaye :

— Il a été as... assa... assassiné...

— Assassiné?

Stella s'est figée, comme frappée par une
flèche. Il lui semble tout à coup qu'un voile
de ténèbres s'est abattu sur elle. Une peur
affreuse lui glace le cœur.

— Assassiné dans la tour? s'informe
Marie Le Meur. Allons, que sais-tu?

Sous l'injonction impérieuse, Anaïs se hâte
de parler. Elle trébuche sur les syllabes,
halète, se reprend, tandis que les deux
femmes, leurs regards fixés sur elle, écoutent
dans un silence mortel.

— C'est le chef du chantier qui l'a trouvé.
Il était descendu dans les salles pour les visiter et tracer le travail de ses hommes. Il a
trouvé le corps de M. Jean recroquevillé dans
un coin, près d'un tas de pierres. Paraît qu'il
avait reçu un coup à la tempe. Ils disent qu'il
y a plusieurs semaines qu'il était là.

Par la fenêtre ouverte, un brouhaha monte
du port. C'est la brigade de gendarmerie qui
débarque. Toute l'île est là pour la recevoir,
ne rien perdre du spectacle exceptionnel.

Stella a fait quelques pas. Ses yeux angois-
sés dévisagent Anaïs.

— Mais pourquoi Gordon n'est-il pas venu
lui-même m'annoncer cette... découverte?

Les lèvres de la Bretonne se serrent. Un silence noir plane, lourd de terreur, de rancune, d'hostilité.

— Il ne peut pas. Péroudy lui a dit de ne pas quitter le chantier avant l'arrivée des gendarmes.

Péroudy est le garde-côte qui a pour mission de faire respecter la loi dans l'île en attendant les forces de police.

On distingue maintenant, sur le chemin, la petite troupe qui progresse vers la tour, suivie des badauds et des curieux.

— Sûrement, ils vont l'arrêter, affirme Anaïs.

Stella sursaute. Elle porte sur la vieille bonne ses regards incrédules et indignés.

— Que veux-tu dire : « l'arrêter »? De qui parles-tu?

Son ton a monté, elle est agressive et frémissante.

Anaïs gronde :

— De ton Gordon de malheur. C'est lui qui a assassiné Jean, si tu veux tout savoir. Que pouvait-il arriver d'autre avec un Guilvinec revenu chez nous?

— Non!

Le cri a jailli, menaçant, farouche. Stella avance ses mains tremblantes, dont l'une porte l'anneau d'or des épousailles, vers Anaïs qui ne recule pas d'un pouce.

— Menteuse! menteuse! Comment oses-tu? Je devrais te faire rentrer ces mots dans la gorge si je ne te savais pas un peu folle... folle de haine et de méchanceté. Mais je te préviens, Anaïs, je n'oublierai jamais... jamais... ce que tu viens de dire aujourd'hui... C'est lâche, c'est mal, c'est mal...

Elle s'effondre, les mains sur les yeux, et sanglote, déchirante et furieuse.

C'est à cet instant que Géraldine entre, soutenue par ses guides. Elle a entendu l'explosion de colère véhémente de sa sœur. Elle quitte les bras secourables qui la conduisent jusqu'ici et abaisse, vers la forme ployée et gémissante de Stella, un regard glacé.

— Anaïs a dit la stricte vérité. Tu as défié le destin en t'unissant à un Guilvinec. Le destin se venge. Tu es la femme d'un assassin, Stella. Et moi... moi... — elle se frappe la poitrine avec une rage douloureuse — je suis la veuve de sa victime...

Là-dessus, elle vient s'écrouler sur le lit de l'aïeule et elle sanglote à son tour, roulée dans un océan de détresse.

XII

Ah! cette mélopée qui, depuis le crépuscule, sort interminablement des lèvres de Géraldine, d'Anaïs, des femmes groupées dans la cuisine autour de l'appareil mortuaire!

On l'a amené vers la fin du jour. Jusque-là, les gendarmes ont fureté, palabré, interrogé, écrit rapport sur rapport, dans la salle de la tour. Pendant ce temps, le charpentier de l'île celui qui construit les bateaux et les cercueils a rassemblé hâtivement les quelques planches nécessaires pour y enfermer la triste dépouille de Jean Gallahan.

En ville, ou même au bourg en face, elle n'eût pas été rendue à la famille. On l'eût emmenée à l'institut médico-légal. Mais dans cette île éloignée de tout il n'est pas facile de respecter les règles. L'autopsie pratiquée par le docteur Delpy, on a satisfait aux supplications de la veuve et quelques gars de bonne volonté ont transporté le cadavre à Maison Rousse.

Maintenant, dans cet habitacle en modeste

bois de sapin, reposent les restes de celui qui
fut beau, le faraud garçon que toutes les filles
regardaient avec complaisance et que Géraldine aimait d'un amour aveugle et exclusif.

Anaïs a allumé les cierges et les femmes
veillent, pleureuses gémissantes, agenouillées
autour du funèbre coffre posé sur deux
chaises au centre de la pièce, entre le crucifix
et la soucoupe où trempe le buis. La veuve,
prostrée, le regard fixe, n'a pas quitté son
prie-Dieu.

On ne dort pas dans l'île, ce soir-là. Tout le
pays défile, aspergeant le mort d'eau bénite et
de prières. Les visiteurs entrent avec le vent
du dehors, car la tempête s'est levée comme si
elle voulait s'associer au deuil de la demeure.
Et la mer, soulevée, souligne de sa basse
continue le gémissement des hommes et du
vent.

Réfugiée dans la chambre de l'aïeule dont
on a laissé la porte béante afin qu'elle prenne
sa part de cette funeste veillée, Stella écoute
ce sauvage concert. Parfois, les plaintes des
pleureuses s'élèvent d'un demi-ton, dominant
les autres clameurs. Alors, la jeune femme
porte sa main à la gorge comme si elle étouf-
fait. Cette mélopée qui perpétue cette même
note finit, après tant d'heures, par venir à
bout de ses nerfs. Elle hurlerait pour s'en
délivrer et elle est obligée de serrer ses poings
sur ses lèvres pour arrêter les cris qui vou-
draient éclater.

Sans fin, tandis que le chapelet de buis

s'égrène aux doigts décharnés de Marie Le Meur, Stella ressasse les mêmes pensées obsédantes.

On a arrêté Gordon. C'est inconcevable! Le billet trouvé sur Jean émanait de lui et il paraît que ce billet le condamne... ce billet bref, concis, terriblement accusateur.

Ah! il a fallu que Stella le voit, qu'elle fixe sur cette écriture inconnue ses yeux bouleversés pour se rendre à l'évidence.

Veuillez m'attendre après-demain, près du café du Port. Il ne s'agit plus de vous dérober. L'heure est venue de régler les comptes.

Et même, si l'écriture n'eût pas suffi à identifier l'auteur du billet, sa signature s'étalait impudemment au bas des lignes terribles dans leur laconisme : Gordon GUILVINEC.

Le café du Port... C'est un petit établissement sur la côte, en face, fréquenté par les pêcheurs et parfois par les usagers de l'autobus. C'est donc là que Gordon Guilvinec et Jean se sont rencontrés... Et Gordon avait menti lorsqu'il prétendait que son arrivée dans l'île était toute fortuite, qu'il y était venu attiré seulement par la curiosité que les dépliants publicitaires avaient provoquée.

L'esprit de Stella travaille à vide. Hébétée par le chagrin, elle ne peut plus démêler le réel du songe. Seules pénètrent en elle cette odeur de sapin frais et de cierges et cette

hallucinante incantation des femmes endeuil-
lées.

Tout ce qui s'est déroulé durant cette fatale
après-midi ne participe pourtant pas du
songe. L'esprit de Stella a enregistré des
images terribles dont elle sait qu'elles vien-
dront encore longtemps hanter ses nuits.

Il y a d'abord eu cette sauvage accusation
portée par Géraldine et contre laquelle Stella
s'est révoltée de toutes ses forces exaspé-
rées.

— Comment peux-tu accuser Gordon? Tu
es folle, Géraldine! La douleur t'égare!

— C'est lui qui l'a tué, hurlait l'autre d'une
voix démente. Et tu oses le défendre?

— Je ne peux pas te laisser délirer de cette
façon extravagante quand il s'agit de mon
mari!

— Ton mari! Plût à Dieu que tu ne l'eusses
jamais épousé. Tu as introduit un assassin
dans la famille.

— Géraldine!

Dieu sait ce qui se serait passé si l'aïeule
n'était intervenue. Sa voix flamboyante avait
traversé portes et couloirs :

— Trouvez-vous que nous ne soyons assez
éprouvés que vous vous dressiez en face l'une
de l'autre, comme des ennemies?

L'ancien prestige de Marie Le Meur n'était
pas assez atténué qu'il n'ait eu aussitôt son
pouvoir sur les nerfs des deux femmes. Le
calme s'était rétabli, coupé seulement par les
sanglots de l'aînée et la marche fiévreuse de

Stella arpentant la salle, de la porte à la fenêtre, guettant ce qui se passait dehors.

Vers la fin de l'après-midi, deux gendarmes étaient venus chercher Stella. A ce moment, on n'avait pas encore amené le corps du défunt à son domicile. Il était dans l'une des salles de l'auberge où le docteur Delpy procédait à sa macabre besogne.

— On a besoin de vous, madame, disait timidement le plus âgé des deux représentants de la loi. Voulez-vous nous accompagner?

Enfin! Stella, frémissante, s'arracha aux objurgations de l'abbé Garlic qui, dès les premières nouvelles du drame, s'était rendu à Maison Rousse pour apporter ses condoléances à la famille affligée.

Elle suivit les deux gendarmes. Elle connaissait le gradé pour l'avoir vu au bourg, les jours de marché, et s'être même entretenue avec lui. Il semblait plein de pitié et de considération pour elle. Mais elle avait refusé son bras.

— Où est mon mari? Que fait-il? Pourquoi n'est-il pas venu me rassurer?

Le gradé ne disait rien. Et son acolyte, qui avait le visage poupin et lisse d'un enfant campagnard, jetait vers la jeune femme des regards ingénus où se lisaient son embarras et sa compassion.

— Vous le verrez, finit par promettre le gradé, sur les instances de Stella.

L'entrevue entre les deux époux eut lieu à

la mairie, à l'endroit même où le matin — il semblait qu'une éternité se fût écoulée depuis cet instant — Gordon et Stella avaient prononcé le « oui » qui les liait.

Cette fois, c'était une question plus redoutable qu'on posait à l'homme pâle et buté, assis devant la table, l'œil sec et le visage assombri.

Les mains de Gordon étaient crispées sur ses genoux.

Quand il aperçut Stella, son corps esquissa comme une fuite. Mais, se dominant dans un brusque effort, il se leva et demeura immobile, évitant de rencontrer son regard.

Elle se précipitait vers lui, mais le capitaine de gendarmerie l'arrêta dans son élan :

— Une seconde, je vous prie, madame.

Elle le considéra, le sourcil haut, choquée, les yeux pleins d'interrogation et de détresse.

— Qu'y a-t-il? balbutia-t-elle.

— Veuillez tout d'abord jeter un coup d'œil sur ceci.

Ceci, c'était, éployé sur un buvard, un morceau de lettre sali, froissé, innommable. Stella ne reconnut pas tout de suite l'écriture. Elle n'avait eu guère l'occasion de lire l'écriture de son mari. Mais le matin même, sur les registres de l'état civil, Gordon avait inscrit son nom à côté du sien.

Or, ce nom s'étalait, sans qu'il soit possible d'en douter, au bas des lignes manuscrites : Gordon GUILVINEC.

Stella se pencha jusqu'à toucher de ses cheveux défaits le feuillet griffonné. Elle ne vit pas l'intense attention que portait sur elle Gordon, tandis qu'elle s'efforçait de déchiffrer le message.

Elle lut, sans comprendre tout d'abord :

Veuillez m'attendre après-demain, près du café du Port... L'heure est venue de régler les comptes...

Stella s'y reprit à deux fois avant de pénétrer le sens des caractères qui lui apparaissaient dans une sorte de brume. Enfin, elle releva le front, rétablissant machinalement d'un index tremblant une mèche de sa chevelure.

Son regard vacillant interrogea tour à tour le masque redevenu impassible de Gordon et la face aux aguets du capitaine.

— Je... qu'est-ce que cela veut dire?... Où a-t-on trouvé ce billet?

La réponse tomba comme un pavé dans une mare :

— Dans le portefeuille de la victime.

Toute la face de Stella marqua l'incrédulité.

— Le portefeuille de... de Jean?

— De Jean Gallahan, parfaitement.

Elle secoua la tête comme une pouliche harcelée par un taon. Dans le silence qui suivit, on put percevoir son souffle précipité. Elle se détourna pour fixer Gordon, bien en face.

— Vous connaissiez mon beau-frère? interrogea-t-elle d'un ton surpris.

Elle s'efforçait de parler naturellement. Voyons, tout ceci n'était-il pas naturel? Bien sûr, Gordon allait lui fournir une explication plausible. Après quoi, c'en serait fini de cette griffe d'acier qui s'était tout à coup posée sur sa gorge, pour la meurtrir.

Gordon garda le silence... un silence têtu, lourd, intolérable.

Elle continua de le fixer avec stupéfaction. Le reproche et l'effroi dilataient ses prunelles.

— Mais, Gordon... pourquoi?

Le visage de Gordon se contracta brusquement. Il eut l'air d'une bête sauvage qui fonce tout à coup.

— Ne vous mêlez pas de ça, aboya-t-il, furieux et impératif.

La voix calme du capitaine s'éleva :

— Voyons, monsieur Guilvinec, je ne comprends pas votre attitude. Vous ne nous facilitez pas la tâche. Bien que ce billet ne porte pas de date, il est bien évident que vous avez dû rencontrer la... la victime le soir où mademoiselle — où plutôt Madame — vous a emmené dans sa barque.

— Oh! émit Stella, les yeux élargis par une brusque épouvante.

Elle venait enfin de saisir quelque chose de cette effrayante scène et la signification redoutable des faits commençait à l'émouvoir. Ce fut comme si des mains mystérieuses pous-

saient devant elle l'énorme dalle qui lui barrait l'horizon. Elle parla tout à coup, d'une
voix plus basse et effrayée, accrochée au visage de son mari :

— Gordon... le soir où je vous ai laissé sur
la lande... vous... vous aviez rendez-vous avec
Jean? Vous l'avez rencontré à Castel-
Pirate?

Il esquissa un geste farouche de dénégation,
puis, comme si tout soudain sa combativité
l'abandonnait, il haussa les épaules.

— Allez-vous-en, dit-il avec lassitude. Ne
vous occupez pas de cette histoire. Je vous le
demande en grâce...

Stella serra machinalement ses mains
moites l'une contre l'autre. Tout son être
exprimait le désarroi. Un flot de larmes
monta à ses yeux. Elle s'approcha de lui, suppliante :

— Mon chéri, mais je suis votre femme!...
Comment ne me mêlerais-je pas de ce qui
vous touche aussi affreusement? Oh! Gordon,
ne voyez-vous donc pas que ces hommes ont
l'air de... de vous accuser? acheva-t-elle dans
un cri.

Il rétracta ses mains et son cou, comme une
bête prise au piège.

— Allons! intervint le capitaine, conciliant,
cette jeune femme est dans tous ses états.
Dites quelque chose, sapristi! Votre comporte-
ment est inadmissible.

— Je ne dirai *rien*, articula Gordon d'une
voix brutale.

Stella eut un mouvement comme si ce refus lui avait coupé la respiration. Il lui semblait vivre un effroyable cauchemar. Etait-ce bien Gordon, cet homme rigide et tendu, avec ce visage étranger? Et ces hommes en uniforme qui le regardaient comme ils regarderaient un coupable, sont-ils réels? Dans cette même salle, ce matin, il y avait deux jeunes époux heureux. Devant eux, la vie s'étendait à l'infini, toute scintillante de joie, comme la mer au soleil.

Quelques heures ont suffi pour dévaster tout un bonheur. Maintenant, des remous mystérieux les séparent. Et Gordon ne veut même plus voir les bras de Stella tendus vers lui. On dirait que son âme s'est retirée en elle-même très loin. Et c'est un autre Gordon qui se tient maintenant devant elle.

Un *autre Gordon*... un Guilvinec, le Guilvinec des maléfices...

Oh! c'est plus qu'elle n'en peut supporter!

A-t-il compris cette détresse? Son profil qui s'était dérobé se retourne. Un peu de tendresse de l'ancien Gordon tremble sur cette face fermée.

— Voulez-vous, Stella, vous souvenir que vous m'avez un peu forcé la main? Je vous avais prévenue que ce mariage était dangereux, dit-il presque doucement.

Les mains de Stella se joignent.

— Non, Gordon, mon aimé, ne dis pas cela! Je suis toujours fière et heureuse d'être ta femme. Mais ne laisse pas le doute pénétrer

dans mon cœur. Aie pitié de moi, Gordon, je
t'en supplie!... Laisse-moi cet amour qui
m'enchantait le cœur.

Elle pleure, désemparée, insoucieuse de tous
ceux qui l'écoutent, apitoyés par cette plainte
d'enfant. En cette seconde, son âme est suspendue aux lèvres de celui qui, seul, compte
pour elle.

— Ecoute, brusque-t-il, me prends-tu pour
un assassin?

Dans un geste instinctif de défense, elle
porte ses deux mains sur ses oreilles.

— Oh! non... non! Mais... ce billet?

— Ce billet, c'est moi qui l'ai écrit, oui...
Pour donner un rendez-vous à ton beau-frère.
Et c'est pourquoi je suis venu. Tu es
contente?

Il a lâché ces mots entre ses dents serrées,
comme il lui aurait crié des insultes. Elle suffoque.

— Oh! Gordon... Gordon! Je ne sais plus...
je ne sais plus...

Une vague de détresse la submerge. Il s'est
approché de la table du capitaine qu'il
contemple de ses pupilles rétrécies :

— Pour Dieu, emmenez-la... Emmenez-la...
Emmenez-la!

Le capitaine a fait un signe. Le gradé
s'approche de la femme gémissante, presque
inconsciente dans sa douleur affolée.

— Venez, madame, dit-il doucement.

Elle s'est laissé entraîner comme une loque.
Pendant tout le temps qu'elle a descendu le

sentier, portée plutôt que conduite par le bras
solide du brigadier, Gordon a tenu ses yeux
farouchement fixés sur la pointe de ses souliers. Il n'a pas vu qu'elle s'était retournée
tout à coup, en passant à proximité de la tour,
et qu'elle avait tendu le poing vers le castel
maudit.

-:-

Toute l'île suivait le convoi qui amenait
vers le petit cimetière la dépouille de Jean
Gallahan.

De son vivant, on ne l'aimait guère. Il était
resté « l'étranger » à ces îliens qui formaient
tous une grande famille. Mais les circonstances dramatiques de sa disparition, le
mystère qui s'attachait à sa mort et le pathétique problème qu'elle posait pour les jeunes
femmes qui se trouvaient maintenant en tête
à tête à Maison Rousse, tout cela avait attisé
la curiosité et avivé les sympathies.

Toute la nuit, Stella demeura rigide et ten-
due à tourner dans sa tête en feu mille pensées torturantes.

Qui dissipera les ténèbres où elle va, trébu-
chant? Hors de la maison où chacun demeure
muré dans sa peine, à qui se confier, à qui
dire ses doutes, son irrésolution, son désespoir?... Certes, ici, les visages lui sont fami-
liers et elle connaît les voix, les tics, les
allures des gens. Mais elle s'aperçoit soudain
qu'elle n'a possédé aucun ami... Sa vie sauvage
et solitaire l'a écartée de la jeunesse du pays.

Son premier ami, son seul ami a été Gordon...

L'aïeule, auprès de qui elle eût dû trouver quelque consolation, priait dans son lit d'infirme, absorbée par ses réflexions, peut-être par un remords d'avoir favorisé ce mariage impie. Stella n'osait s'approcher d'elle. Elle se faisait l'effet d'une maudite, d'une paria.

... Après l'interminable veillée, la nuit enfin s'éclipsa. Un coq chanta dans l'enclos. Le rectangle de la fenêtre où se tenait la jeune femme, frissonnante de froid et d'angoisse, s'éclaira vaguement. Oh! cette aube qui aurait dû la trouver couchée sur le cœur de Gordon! Son mari!... Où était-il, à cette heure? Par Anaïs, elle savait qu'à la fin de la journée on l'avait emmené au bourg, dans la vedette des gendarmes. Là se bornaient ses renseignements. Elle se sentait abîmée dans un désert de solitude.

Dans le petit matin blafard, des gens montaient le sentier. Ils se dirigeaient vers la maison en deuil. Furtivement, ils glissaient des regards craintifs vers la tour qui, toujours debout et victorieuse, semblait un mortel défi jeté par-dessus la lande à l'ancien adversaire abattu. Alors, ils hochaient la tête avec des mines entendues. C'était l'ancienne vendetta qui reprenait! Et si la dernière des Le Meur avait cru rompre le sortilège, elle s'était bien trompée.

Balourds et lents, ils traversaient l'enclos qui avait gardé le même aspect des jours ordi-

naires, comme si la tragédie ne s'était pas
introduite dans la maison : les poules pico-
raient l'herbe humide, le cri du coq était aussi
pimpant, et aussi indifférente la vache
qu'Anaïs avait sortie et attachée au piquet.

Seules, les bêtes familières avaient réagi :
Sauve-qui-peut s'était réfugiée sous l'édredon
de l'aïeule d'où aucune objurgation n'avait
pu la tirer. Quant à Caro, elle avait disparu
dans la campagne, fuyant l'odeur funèbre et
l'agitation insolite de la maison.

A chaque entrée d'un nouveau visiteur, les
pleurs de la veuve montaient sous les solives
de la salle, déchirants et lugubres. Les
femmes sanglotaient.

Tapie dans son coin, Stella mordait ses
poings.

L'abbé Garlic apparut sur le chemin. Il portait la croix et l'enfant de chœur le suivait. Il
monta jusqu'à l'enclos. Son surplis blanc se
gonflait au souffle du vent comme une
voile.

Dans la salle, les hommes se rangeaient par
trois. Stella entendit leurs pas lourds et le
choc du coffre de sapin contre le mur
lorsqu'ils passèrent leur macabre fardeau par
l'ouverture de la porte.

Brusquement, elle s'éloigna de l'embrasure
de la fenêtre. Elle fit quelques pas dans la
chambre, hagarde et comme hallucinée. Elle
sentait, entassée sur elle et l'étouffant, toute
l'hostilité de la terre. Le monde était clos et
noir comme un cœur sans espérance.

Elle s'écroula sur le vieux fauteuil en tapisserie, la tête dans les mains.

Alors, elle sentit une caresse humide et
chaude sur son visage. Elle tressaillit et releva
le front.

— Caro!

Dressée, la bête posait sur ses genoux deux
grosses pattes mouillées.

— C'était toi, ma Caro, ma brave
chienne!

Caro gémissait doucement, en fixant le
visage de sa jeune maîtresse de ses bons yeux
humides et doux.

— Ma chienne, tu es meilleure que les
hommes. Tu es toujours là, toi, fidèle, ma
bonne Caro...

Ce lui fut une douceur infinie de refermer
ses bras sur la grosse tête poilue et de pleurer
dans cette étreinte fraternelle toutes ses
larmes.

Elle sanglotait dans le cou de Caro,
lorsqu'une plainte venue de la chambre de
Marie Le Meur l'alerta. Elle courut au chevet
de l'aïeule : la vieille dame suffoquait, prise
par une de ses crises cardiaques qu'on redoutait pour elle.

Dans un sens, ce fut une diversion à
l'angoisse générale. Stella fut immédiatement
sur la brèche et Géraldine et Anaïs, quand
elles rentrèrent, durent joindre leurs efforts
aux siens. On fit prévenir le docteur. Il arriva
le même soir du bourg et prescrivit une série
de piqûres et un traitement qui absorbèrent

aussitôt tout le temps et l'esprit de Stella et de
ses aides. Durant quarante-huit heures, on
craignit pour la vie de la malade et les trois
femmes mobilisèrent toutes les forces pour la
lutte qu'il fallait soutenir.

Au bout de quarante-huit heures, la crise
était passée. Mais l'aïeule gardait une faiblesse générale et une sorte d'insensibilité qui
la rendirent, pendant les jours qui suivirent,
absolument incapable de soutenir la moindre
conversation, la moindre fatigue.

— Il faut le temps de se remettre et de
reprendre des forces, dit le docteur.

Autour d'elle qui reposait à longueur de
journée dans son lit, les yeux clos et comme
absente, les heures traînèrent, vides et désem-
parées. Géraldine semblait effondrée dans sa
douleur. Elle ne parlait presque plus. On eût
dit qu'elle rendait le monde entier responsable de sa misère. Ses traits étaient durs et sa
bouche vindicative.

Le premier jour, elle avait écrit à Hervé
pour lui faire part des événements qui
s'étaient produits à Maison Rousse. Elle
comptait sur son frère pour exiger de Stella la
décision qui s'imposait au sujet de cette
absurde et criminelle union, qui avait fait
d'elle une Guilvinec. Mais Hervé était loin;
avant qu'il reçoive le message, et qu'il puisse
rallier le foyer où l'on avait tellement besoin
de lui, beaucoup de semaines pouvaient
encore s'écouler.

En attendant, autour de la maison qui

dominait la lande, la vie se refermait comme
une tombe. Quelques voisins risquaient
timidement une visite, s'informant de la
vieille dame, apportant de maladroites
paroles de consolation. Mais, par-dessus tout,
la curiosité s'avivait, intense, torturante pour
les femmes muettes et farouches qui semblaient porter chacune une invisible armure.
Les gens s'en allaient vite, troublés par
l'atmosphère de drame qui régnait dans la
demeure.

Du drame lui-même, néanmoins, personne
n'osait parler. Par ordre des autorités, on
avait interrompu tout travail à Castel-Pirate.
Les ouvriers étaient repartis, laissant seulement les matériaux qu'ils avaient déchargés
le premier jour et l'écriteau qui se balançait
au vent : « Entreprise Peduzzi. Ne pas pénétrer sur le chantier. »

Oh! si seulement Dieu avait voulu qu'ils n'y
fussent jamais venus! songeait fiévreusement
Stella. Mais pouvait-elle aller contre le maléfice qui pesait sur leurs deux familles, à Gordon et à elle?

Elle n'avait aucune nouvelle de Gordon. De
celui qu'on avait interrogé comme un coupable, elle ne savait rien, sauf qu'il avait été
conduit à Rennes. Le premier jour, les jour-
naux mentionnèrent la découverte du corps
dans les ruines de la tour; mais, depuis, ils
n'avaient fourni aucune autre information.

Chaque matin, Stella tremblait en ouvrant

la feuille imprimée que lui apportait le facteur.

Ainsi, un peu plus d'une semaine passa,
morose et chargée de craintes secrètes, de
rancœurs, de défiance, pour les habitantes de
Maison Rousse. Stella enfermait en elle une
détresse profonde qui semblait d'un coup
avoir emporté sa jeunesse. Un raz de marée
avait déferlé sur son bonheur : sa vie était
saccagée.

Elle s'appliquait à refaire les mêmes gestes
qu'autrefois, à prononcer les mots habituels;
mais, en elle, tout était noir et silencieux.

Si encore la dure journée accomplie, elle
avait pu enfouir sa peine dans le sommeil, l'y
déposer comme on pose un fanion trop lourd
et épuisant, elle eût récupéré chaque nuit sa
ration de calme et d'oubli. Mais elle n'arrivait
pas à trouver le repos.

Le visage de Gordon, de ce Gordon nouveau, dur et défiant, qui lui était apparu
durant l'entrevue qu'on leur avait ménagée,
était sans cesse devant ses yeux : le visage
d'un Guilvinec. Un de ces Guilvinec qu'elle
avait appris à maudire et détester. Le Guilvinec des anciennes vendettas.

Alors, au fond d'elle-même montait un sentiment de révolte. Non, ce n'était pas le vrai
Gordon. Le vrai, elle le connaissait. Elle
l'avait soigné et veillé, durant qu'il était
immobilisé dans la chambre verte de Maison
Rousse. Il avait joué pour elle et sa flûte
n'était ni barbare, ni cynique. Il en tirait des

sons merveilleusement doux, qui élevaient
son âme et la charmaient comme une prière.
Il l'avait tenue dans ses bras... Pouvait-elle
douter de ce Gordon?

Elle croisait désespérément sur sa poitrine
ses bras fiévreux :

« Chéri, murmurait-elle dans une plainte
déchirante, comme s'il eût pu l'entendre,
pourquoi me laisser dans cette incertitude?
Oh! Gordon, pourquoi fais-tu ça? »

Et soudain, une autre expression de son
visage se présentait à son esprit, le Gordon
amer et furieux qui l'avait toisée :

« *Me prenez-vous pour un assassin?* »

Elle se réveillait, moite, tremblante, le
cœur battant à grands coups. Et l'angoisse
mettait sa griffe glacée sur son cœur.

XIII

Des jours passerent, tout chargés d'électricité, dans une attente intolérable. Stella espé-
rait des nouvelles de Gordon; Géraldine ne
vivait plus que pour le retour d'Hervé.

— Il se portera partie civile avec moi, au
procès, disait-elle les dents serrées, en regardant sa sœur d'un air de défi. D'ici là, tu sais
ce qui te reste à faire si tu ne veux pas te
trouver dans le camp des pirates, en face des
tiens!

Pour échapper à ces harcelantes attaques,
Stella fuyait la maison. Elle jetait sa cape sur
ses épaules et courait à travers la lande. Elle
se sentait plus seule dans le logis hostile que
dans l'immensité de l'espace. Elle allait droit
devant elle comme une mouette affolée. Où
trouverait-elle une issue dans l'impasse où
elle se débattait?

Elle finissait par se réfugier dans la
chapelle. Elle priait des heures, à genoux sur
les dalles, muette et implorante. Elle priait
pour que la malédiction s'éloigne de Gordon
et d'elle-même et qu'ils puissent se réunir.

L'abbé Garlic lui fut d'un grand secours.
Parfois, il venait la reconduire dans le cloître
qui précédait la petite église. Il la réconfor-
tait.

— C'est une dure épreuve pour vous, Stella.
Ne perdez pas courage.

— Oh! monsieur l'abbé, ce procès dont on
me menace, ce procès où je verrai s'affronter
d'un côté les miens, et de l'autre mon mari,
quelle torturante perspective!

— Rien ne prouve que le procès aura lieu,
observait le prêtre, rassurant.

Elle tournait vers lui des yeux où étincelait
l'espoir :

— Vous non plus, monsieur l'abbé, vous ne
le croyez pas coupable!... Vous le connaissez
bien. Vous avez parlé avec lui souvent. Il n'a
pas pu commettre un acte aussi abominable...
Et pourquoi l'aurait-il fait? Pour réaliser la
vendetta à laquelle son grand-père Joël avait
renoncé? C'est absurde!... Et pourquoi Jean
plutôt qu'Hervé dans ce cas? Tout cela
m'apparaît comme une sombre folie.

— Calmez-vous, Stella. Tout s'éclaircira...
J'ai gardé ma confiance en votre mari.

Stella secouait sa petite tête douloureuse et
soupirait :

— Moi aussi. Mais un tel désarroi habite
mon cœur! Géraldine n'ouvre la bouche que
pour accuser et menacer. Elle remâche sans
cesse les vieilles histoires du passé et me les
jette en pâture. Elle affirme que notre union
est maudite. Pourquoi ce drame inexplicable

semble-t-il lui donner raison? N'est-ce pas le
signe que notre union n'est pas agréable aux
puissances d'En-haut? Grand-mère avait
peut-être tort quand elle disait que nous ne
sommes pas responsables des haines et des
rancœurs de nos parents.

— Non, Stella. Nous ne sommes pas responsables, je vous en donne l'assurance.
Devant Dieu et devant les hommes, nous ne
sommes responsables que de nos propres
fautes.

— Alors, je ne suis pas coupable d'aimer
Gordon et ce n'est pas de cela que je suis
punie?

— Non, mille fois non.

— Mais alors, pourquoi ne parle-t-il pas?...
Pourquoi n'a-t-il pas voulu éclairer des faits
qui, tels qu'ils se présentent, semblent si
étranges?

Le prêtre hoche la tête. Il sait, lui. Il a reçu
la confession de Gordon la veille de son
mariage. Mais il ne peut rien dire. Non, en
vérité, il n'a pas le pouvoir d'alléger le fardeau de cette âme torturée.

— Priez. Et Dieu vous apportera le
secours.

Stella s'en retournait, un peu apaisée.

Le message lui parvint vers le dixième jour.
Le facteur qu'on attendait avec tant de
secrète impatience arriva jusqu'à l'enclos.

« Mme Guilvinec » portait la suscription.

Stella fut une seconde avant de réaliser que
cette appellation la concernait : elle était

vraiment Mme Gordon Guilvinec. Oui, en
quelques heures, elle avait changé d'état civil,
et ces heures avaient suffi pour faire d'elle
une paria dans sa propre famille.

Avec émotion, elle reconnaissait l'écriture
qu'elle avait pu voir, quelques jours plus tôt,
sur le fatal billet qui avait fait arrêter Gordon. Ses doigts tremblèrent, tandis qu'elle
déchirait l'enveloppe. Cela avait pourtant l'air
d'une inoffensive enveloppe en dehors de
l'adresse, il n'y était fait mention d'aucune
prison, ni d'autre lieu déshonorant.

Les lettres dansaient devant les yeux
troubles de Stella. Elle parvint cependant à
reconquérir assez de calme pour saisir le sens
des mots... L'affreux billet! Il la brûlait comme une écriture corrosive.

Stella,

(Pouvait-il lui adresser une si sèche inter-
pellation comme si elle n'était pour lui qu'une
étrangère?)

*J'ai compris dans quel dilemme vous vous
débattez. Notre mariage fut une erreur, j'en
conviens. Vous serez toujours une Le Meur et
je ne cesserai pas d'être un Guilvinec. Ne pensez plus à moi. Vous n'aurez pas de peine à
faire annuler une union qui n'a été qu'une
formalité et qui n'aura pas duré une heure.
Adieu.*

GORDON.

Toute pâle, Stella se précipita dans la chambre de Marie Le Meur. Géraldine finissait d'habiller l'aïeule. Elle vit entrer sa cadette qui chiffonnait une lettre dans sa main, fébrilement. Sa figure aiguë se durcit.

— De qui sont les nouvelles? D'Hervé?

Stella la défia :

— De Gordon.

La veuve s'avança comme pour saisir le feuillet. Son visage était convulsé de fureur.

— Et il ose t'écrire?... J'espère qu'ils vont l'exécuter, ajouta-t-elle méchamment. Je me rendrai à Rennes, exprès pour assister à ça.

Les joues de Stella pâlirent davantage. Elle toisa sa sœur d'un œil sec.

— Comment peux-tu dire une chose pareille? La douleur ne t'a pas améliorée. Tu es mauvaise. Gordon est innocent. Il sera libre bientôt, j'en suis sûre! J'ai toujours su qu'il était innocent.

Pourtant, ne l'a-t-elle pas cru coupable, au moins quelques instants? Et depuis dix jours, qu'a-t-elle fait pour l'aider à prouver cette innocence? C'est de cela sans doute que Gordon veut la punir. Il ignore dans quelle misère morale elle s'est débattue pour faire face à la haine qui l'entoure, qui a débordé sur elle depuis qu'elle s'est unie à lui et qu'elle partage son nom.

Géraldine s'éloigne du chevet de Marie Le Meur dont les yeux fatigués s'efforcent de suivre tous ses mouvements. Elle rejoint

Stella, droite et immobile au seuil de la pièce,
et approche d'elle un visage convulsé :

— Innocent! Pourquoi t'obstines-tu à nier
l'évidence? N'as-tu pas encore compris que
Guilvinec avait une mission en venant ici? Il
est venu pour exécuter cette vendetta que son
grand-père, ce couard, avait abandonnée. Il
fallait qu'un membre de notre famille meure.
Et même si les lois de ce pays ne pouvaient
nous faire rendre justice, si Gordon était
relâché, Hervé nous vengera, tu entends? Où
qu'il aille, ton Guilvinec, notre frère saura
bien le retrouver!

Stella écoute, les yeux élargis, cette furie
qui parle comme une sorcière préparant une
incantation.

Enfoncées dans leur âpre querelle, elles
n'ont pas vu l'aïeule se dresser au fond du lit
clos. Mal équilibré, son bonnet tombe sur ses
épaules maigres. Ses yeux intenses se posent
sur les deux femmes qu'elle dévisage tour à
tour.

— Allez-vous bientôt finir de vous disputer
autour d'une tombe? Toi, Géraldine...

Elle suffoque un peu. Les deux petites-filles
esquissent ensemble un geste pour se précipi-
ter vers elle.

— Grand-mère, vous allez vous faire
mal!

De la main, l'aïeule coupe cette objection.

Mais sa voix reprend, autoritaire comme
avant sa maladie :

— Oui, toi, Géraldine, tu as une façon agressive de porter ton deuil dont tu devrais avoir honte. Et toi, Stella, tu te conduis comme une enfant. Tu n'es plus une enfant, sapristi!... Depuis que tu as épousé Guilvinec, tu es une femme, une épouse. Et tu dois prendre tes responsabilités.

— Comment, jette rageusement Géraldine, vous acceptez de prononcer ce nom ici, encore? Après ce que cet individu a fait! Et vous oseriez ratifier ce mariage?

— Ma fille, répliqua sévèrement l'aïeule, ce n'est ni à toi ni à moi de ratifier ce mariage, comme tu dis. Il dépend, Dieu merci, d'une jurisprudence plus haute que la mienne et que la tienne... La femme doit suivre son mari dans la bonne ou la mauvaise fortune...

— Même si c'est un criminel?

— Rien ne dit qu'il soit un criminel, si ce n'est ta haine aveugle. En tout cas, même si Guilvinec est un criminel, ce serait encore le devoir de Stella de tenter son rachat.

— Oh!... (L'aînée étouffe de colère et de stupeur.) Et c'est *vous* qui parlez ainsi, vous qui vous êtes tellement réjouie, jadis, de voir Joël Guilvinec fuir comme un lâche pour ne pas subir le châtiment qu'il avait mérité et que les nôtres auraient dû lui infliger?... Vous l'avez pourtant célébrée, cette fuite qui exaltait le triomphe de notre famille et chassait à tout jamais cette race de l'île! Vous avez assez stigmatisé l'indigne attitude de ce couard... Et

maintenant que l'autre Guilvinec est revenu
pour accomplir la tâche que son grand-père a
délaissée, vous lui jetez votre petite-fille dans
les bras? Ah! je crois bien que l'âge a dû
affaiblir vos facultés et que vous n'avez pas
votre tête à vous.

— En tout cas, gronda l'aïeule en se dres-
sant, hautaine, sur ses oreillers, c'est toujours
moi qui commande ici. Je veux admettre que
la douleur parle par ta bouche et c'est ce qui
te rend si impertinente, ma fille. J'oublierai
donc que tu viens de me manquer gravement.
A présent, laisse-moi seule avec Stella.

Son geste balayait Géraldine qui s'en fut
sans plus rien ajouter, raide et hostile, mais
matée.

L'aïeule prit son mouchoir et essuya la
sueur qui perlait à son front.

— Grand-mère, vous vous rendez malade,
protesta la voix éplorée de Stella.

Elle pleurait à petits coups, réfugiée à
l'angle de la fenêtre.

— Approche, dit Marie Le Meur avec bonté.
Assieds-toi.

Elle désignait la chaise en tapisserie à son
chevet.

— Tu es malheureuse, ma petite enfant.

Sa voix était changée. Une grande tendresse
y perçait. Stella n'y tint plus et se laissa tomber à genoux devant le lit. Elle posa sa tête
houleuse sur l'édredon.

— Oh! grand-mère, vous comprenez donc
que je ne peux pas le détester! Je l'aime. Il

me manque tellement. Et voilà qu'il ne veut plus me revoir!

Les vieilles mains de Marie Le Meur caressaient les souples cheveux.

La jeune femme soupira :

— J'aurais voulu ne jamais connaître cet amour déchirant.

Le visage de l'aïeule s'est fait grave et tendu.

— Ne regrette rien. Il faut souffrir. Tant que ton cœur n'est pas devenu pareil au champ déchiré de sillons, tu ne sais pas de quoi ton âme est capable pour sauver ton amour.

La jeune face douloureuse, où les larmes brillent comme la rosée sur l'herbe tendre, se lève avec surprise :

— Mais pourquoi faut-il ainsi se déchirer le cœur? L'amour, je me figurais que c'était autre chose, comme le soleil de la vie, comme un pré qui fleurit au printemps et s'épanouit dans un éblouissement de rayons...

— Tant que tu n'as pas souffert, tu n'as pas senti la force de ton sentiment. Tu n'es encore qu'une petite fille ignorante, qui n'aspire qu'à la joie, à la facilité. Mais tout ce que ton être contient de facultés mystérieuses, de possibilités de sacrifice, d'aptitudes à créer du bonheur pour autrui, fût-ce au prix de ta propre souffrance, tout cela, c'est ton malheur d'aujourd'hui qui te l'apprendra.

— Pour moi, répéta Stella, têtue, il n'y a

qu'une chose qui compte, c'est que j'ai perdu Gordon.

— Tant que tu penses à lui, il n'est pas perdu.

— Mais je redoute son absence. La pensée ne me suffit pas! cria-t-il d'un ton désespéré. Je suis jeune, je n'ai que vingt ans... Pour moi, l'amour, c'est la présence de celui que j'aime. A quoi me servira de l'aimer, s'il est loin de moi... séparé par sa volonté autant que par des milliers de kilomètres de terre et d'eau? Je ne demande pas grand-chose : un bonheur simple, marcher sur la route, mes mains dans ses mains.

— Ce n'est pas un bonheur si simple que cela, épilogua l'aïeule en hochant sa tête blanche. Pour le conquérir, ce bonheur, tu auras à lutter. A lutter contre les autres, et probablement contre lui, et peut-être contre toi-même. Rien n'est aisé ici-bas, mon petit.

Nerveusement, Stella ouvrait ses mains impuissantes.

— Mais que puis-je faire, grand-mère? Tout me retient ici et tout m'enchaîne. Je suis dans l'impossibilité de l'aider. Je ne sais même pas où on l'a emmené. Sa lettre vient de Rennes. Où l'ont-ils mis? Qui voir? Qui joindre? Comment intervenir? De quelque côté que je me tourne, je ne rencontre que des visages hostiles. Aux yeux de tous, je suis la renégate, celle qui est passée dans le camp ennemi... Et voilà qu'ils s'imaginent maintenant que cet ennemi est un meurtrier, par surcroît...

La Bretonne méditait, absorbée et comme repliée sur elle-même. Elle semblait n'avoir pas entendu la plainte éperdue de Stella. Aux derniers mots cependant, elle ramena vers elle son regard pensif.

— Cette affaire a des côtés bien bizarres, dit-elle. Tous ces jours-ci, depuis que la fièvre m'a quittée, j'ai réfléchi... Je ne pouvais pas parler, mais je creusais tous ces événements... Voyons, peut-on concevoir, si Gordon était coupable, qu'il soit resté là à attendre qu'on découvre le corps de ce malheureux Jean? Est-ce qu'il aurait *lui-même* ordonné qu'on entreprenne les travaux à Castel-Pirate, sachant que le corps serait infailliblement découvert? Cela ne tient pas debout.

— C'est vrai, dit Stella, frappée. Il faut dire cela à Géraldine.

— Géraldine est butée, elle ne connaît rien d'autre que son ressentiment.

— Certes, on dirait qu'elle voit Gordon à travers des verres déformants. Elle dit qu'il a hérité de la sauvagerie de sa race, qu'il est venu tout exprès pour poursuivre la vendetta que Joël Guilvinec avait abandonnée comme un lâche, et que « le sang appelle le sang »...

— Elle dit des stupidités, interrompit vertement Marie Le Meur. Elle parle comme on parlait dans mon enfance. Il y a pourtant longtemps de cela; il a coulé de l'eau sous les ponts depuis... L'ai-je assez entendue cette

phrase imbécile et inhumaine, cette phrase de
boucher! Le sang appelle le sang. Elle a pesé
sur moi toute ma vie, sur mon destin... J'espé-
rais pourtant avoir réussi à conjurer le sort
et, Joël et moi, nous avions payé assez cher de
rétablir la paix et l'oubli sur les malfaisantes
querelles de jadis.

Stella, aux dernières paroles de la vieille
Bretonne, l'a regardée. La surprise envahit
son petit visage anxieux.

— Joël et vous grand-mère?...

Les yeux de Marie Le Meur s'arrêtent sur
Stella.

— Joël n'est pas parti comme un lâche,
fuyant les responsabilités qu'un usage barbare
faisait peser sur ses jeunes épaules. Il est
parti sur ma prière. Pour moi, il a consenti à
passer pour un lâche, à laisser le champ libre
aux Le Meur triomphants. Nous nous aimions,
ma chérie. A cette époque, Joël et moi nous
étions de jeunes êtres, avides et ardents. Nous
avions grandi, face à face, de chaque côté
d'une barricade de haine et de préjugés. Mais
notre jeunesse s'était moquée de ces vains
obstacles. Malgré la vindicte de nos familles,
l'amour était né entre nous, plus fort que
tout.

Elle sourit.

— Nous aussi, nous avions fait des rêves.
Nous pensions arriver à triompher de la malfaisante tradition. Et puis, il y a eu ce drame
à propos de Jack Guilvinec.

Sa voix s'est altérée. Il semble qu'elle revive

les terribles heures lointaines où la sauvagerie des deux clans s'est affrontée à nouveau
pour sonner le glas de son bonheur.

— Mon oncle et mon père avaient arrêté
jadis Jack Guilvinec, comme tu le sais. Il est
resté vingt ans au bagne. Et puis, un jour, il a
réussi à s'évader. A ce moment, mon oncle
était mort et mon père avait pris sa retraite.
Rien donc ne le concernait plus dans le sort
du fuyard et il eût pu laisser à d'autres le soin
de le reprendre ou de l'ignorer. Jack était âgé
et malade lorsqu'il revint dans l'île, sous un
habit d'emprunt, méconnaissable, au reste,
par son séjour à Saint-Laurent. Il voulait
revoir sa vieille mère, depuis longtemps
impotente, et Joël, son fils, et les jumelles,
ses deux filles qui étaient encore au berceau
quand il avait disparu.

« Mon père connut sa présence à Castel-
Pirate. Il le fit avertir qu'il le dénoncerait aux
autorités. Jack s'en fut à la nuit tombée. Mais
mon père veillait. Il le poursuivit dans sa
barque, dans le même temps où il prévenait
les gardes-côtes pour faire cerner Jack Guilvinec et lui couper la retraite. Au moment où
mon père le rejoignait, Jack se jeta à la mer
et se laissa couler plutôt que de se laisser
prendre à nouveau. »

Stella écoutait, attentive et glacée. Quelles
mœurs barbares! songeait-elle. Ah! Géraldine
était bien de cette race! Mais elle, Stella, se
sentait si loin de ces cœurs d'acier! Et Gor-

don, si tendre, si amoureux, ne pouvait pas
faire siennes ces coutumes sans pitié.

— Je crois bien que j'ai détesté mon père
jusqu'à sa mort. Dieu me le pardonne! continue la voix basse de Marie Le Meur. La
guerre était rallumée entre les deux clans.
Joël et moi, nous avons fait le sacrifice de
notre amour pour que finisse cette éternelle
tragédie. Il s'est refusé à prendre la responsabilité d'une nouvelle vendetta. C'est pourquoi
il a emmené les siens dans un autre pays,
poursuivi par les huées et les commentaires
haineux de tous les nôtres. Moi seule savais
quel courage il lui avait fallu pour s'en aller
sans espoir de retour.

« J'ai feint de m'associer à la victoire des
Le Meur. Joël a tenu parole. Il n'est plus
jamais revenu. Chacun de nous a fait sa vie
de son côté. Tous les jours, j'ai vu s'effriter un
peu plus le vieux castel délaissé. Mais moi,
lorsque je contemple la tour qui se dresse
devant ma fenêtre, sur le promontoire, en
face, ce n'est pas de l'aversion qu'il y a dans
mon cœur. »

Elle se tait un moment pour reprendre
haleine. Stella respecte ce silence et cette
émotion qu'elle partage si intensément. Elle
sait quel visage se dresse dans la mémoire de
l'aïeule : celui de son premier amour qu'elle
a dû sacrifier.

Et cet amour a les traits de Gordon; si bien
qu'après tant d'années passées, elle a cru voir
Joël entrer dans sa chambre de vieille femme

pour lui rappeler pathétiquement sa jeunesse perdue.

Perdue! Non, puisque le souvenir de celui qui consentait à immoler son orgueil d'homme pour assurer la paix de celle qu'il aimait fait vibrer encore son cœur usé, comme une lyre aux fibres vivantes.

Grâce à leur commun sacrifice, dans cette maison où couvait la haine, de temps immémorial, est passé le grand souffle du pardon. Et Marie Le Meur est là, aujourd'hui pour protéger le jeune amour de sa petite-fille et du petit-fils de Joël et montrer à Stella sa vraie route.

-:-

Quand Stella se réveilla, il faisait encore nuit et le froid était vif. Elle avait dormi sur la banquette inconfortable, malgré son tourment et son effroi. Sa jeunesse et sa fatigue reprenaient leurs droits.

C'était la première fois qu'elle montait dans un train. L'abbé Garlic l'avait escortée jusqu'au bourg d'en face et lui avait pris un billet pour Rennes. Il lui avait donné toutes indications pour se rendre au palais de justice et lui avait signalé un hôtel où elle pourrait s'installer dès l'arrivée.

Stella prit sa valise et en retira un nécessaire de toilette. Tout cela était nouveau pour elle. La valise lui avait été offerte par Hervé, une fois que la pêche avait été bonne. Il la lui avait rapportée en lui disant :

— Tu t'en serviras pour ton voyage de
noces.

Il ne croyait pas si bien dire. Triste voyage
de noces que cette équipée solitaire de la
jeune mariée s'en allant à l'aventure, vers un
inconnu chargé de redoutables problèmes!
Elle s'était bardée de courage. Elle ne voulait
pas se souvenir des imprécations de Géraldine, qui avait failli avoir une attaque
lorsqu'elle avait appris le motif du départ de
Stella.

— Je vais à Rennes m'occuper de faire
libérer mon mari.

— Si tu y arrives, il y aura un drame de
plus, prophétisa sombrement la veuve, car
Hervé nous vengera!

A la gare de Rennes, Stella se sentit dépay-
sée. Elle ne connaissait la ville que par ses
lectures ou par les documents projetés sur
l'écran du cinéma de Roch-Manech. Celle-ci
lui parut immense, mystérieuse, affolante,
avec son odeur d'essence et la circulation des
rues.

Parce que son œil s'était fait à l'échelle des
maisons îliennes, longues et basses, celles de
la vieille cité bretonne lui parurent aussi
gigantesques que des gratte-ciel.

Elle prit un taxi et se fit conduire à l'hôtel
du Bon Pasteur. Elle y retint une chambre, y
déposa sa valise, changea sa robe fripée par
sa nuit en chemin de fer contre un tailleur
gris — elle l'avait commandé aux Dames de
France quelques semaines plus tôt, en prévi-

sion de ce premier voyage qu'elle ne s'attendait pas à faire dans de semblables condi-
tions.

Elle étudia sa silhouette dans la glace désuète de l'armoire et constata avec satisfaction
que le tailleur et le chemisier noir qui
l'accompagnait — un conseil de Gordon, le
choix de cette blouse noire — la mûrissaient,
la faisaient plus femme. Cela lui donnerait
plus de poids pour les démarches à effec-
tuer.

La pensée de son mari ne la quittait pas.
Ici, elle se sentait toute proche de lui. Il était
là, derrière ces murs, un mur sinistre de prison. Mon Dieu! comment allait-elle le retrouver? Dans quel état? Et que dirait-il en la
voyant? Quel serait son accueil?

Car elle ne doutait pas de pouvoir être mise
immédiatement en sa présence. N'était-elle
pas sa femme? Depuis que Marie Le Meur lui
avait montré son rôle dans le conflit d'âmes
où elle se débattait, elle était animée d'un zèle
irrépressible. Elle avait soif de se dévouer, de
se sacrifier pour Gordon, et elle souhaitait des
obstacles pour avoir à se mesurer avec eux.

Elle reprit un taxi pour se faire conduire au
palais de Justice. On lui avait dit d'y être à
une heure. Elle n'avait même pas eu le temps
de déjeuner, dans son souci d'arriver à
temps.

Tout d'abord, elle se perdit dans le vaste
bâtiment. Elle ne savait à qui s'adresser. Elle
dut palabrer longtemps, aller de salle en salle,

parcourir de longs couloirs dans l'édifice, avant d'atteindre le juge chargé de l'affaire.

Fort heureusement, un greffier prit pitié de sa jeunesse et de son visible désarroi et la conduisit auprès du juge Mortimer.

Celui-ci consentit à la recevoir entre deux audiences. Mais quand elle lui parla de Gordon Guilvinec, il eut un haussement de sourcils.

— Qu'êtes-vous à M. Guilvinec? demanda-t-il d'un ton sévère qui fit pâlir Stella comme une coupable.

— Je suis sa femme, rétorqua-t-elle fièrement, en s'efforçant de paraître calme.

— Ah!...

Il la considérait en silence.

— Pouvez-vous me donner un permis de communiquer? s'enquit-elle anxieusement.

Elle ajouta en rougissant, mais avec une note de défi dans la voix :

— Je suis sûre qu'il est innocent.

Le juge dévisageait cette mince jeune femme de mise modeste, dont la beauté brillait sans atours, comme une flamme nue.

— Je voudrais aussi lui apporter un colis de vivres, du linge, enfin ce qui lui sera nécessaire, poursuivait Stella d'une voix suppliante. Oh! monsieur, me le permettra-t-on?

Le juge parut interloqué.

— Mais, dit-il, en échangeant un coup d'œil avec son greffier, votre mari n'est plus ici, madame. Il a été remis en liberté.

— En liberté?

Un éclair de joie illumina le jeune visage angoissé pour laisser place tout aussitôt à la perplexité.

— Je... je n'en savais rien, murmura-t-elle, décontenancée. Quand cela?

— Vendredi dernier, spécifia le juge. Sur la demande de son conseil, il a été remis en liberté provisoire. Il a versé du reste une caution de deux millions.

Le regard qui accompagna cette déclaration traduisait la surprise : ces millions ne lui semblaient pas assortis avec la mise et l'allure de la quémandeuse.

De son côté, Stella avait reçu un choc. Vendredi... Il y avait donc une semaine... Elle l'ignorait!... Deux millions... Gordon pouvait ainsi acheter sa liberté avec tout cet argent?... Sans avoir eu à prouver son innocence?... Cela lui parut choquant et atténua pour elle l'allégement qu'elle éprouvait de cette nouvelle.

Les pensées se heurtaient dans son esprit, pareilles à des oiseaux désemparés.

Le juge pianotait du plat de la main sur sa table de chêne. L'audience avait assez duré. D'autres clients attendaient, d'autres affaires inscrites au rôle, celles-là.

Stella leva vers lui un regard troublé.

— Je ne sais où je pourrais le joindre, émit-elle, toute gonflée de désarroi.

— Voyez l'avocat, Me Lamarque. Vous le

trouverez rue du Pré-Botté. Avez-vous son numéro de téléphone, Vigier?

— Un instant, monsieur le juge.

Le greffier feuilleta un cahier, puis inscrivit le renseignement.

— Voilà, madame.

— Mes hommages, dit le juge, pressé de passer outre.

Stella franchit la porte du bureau, un peu étourdie. Dans la rue, elle eut une véritable minute d'angoisse. La gorge serrée, elle se posait d'anxieuses questions. Allait-elle trouver Gordon? Pourquoi ne lui avait-il pas écrit qu'il était libre? Ainsi, il n'avait même pas eu besoin d'elle! Et elle arrivait, brûlant du désir de se dévouer, de subir pour lui toutes les avanies du monde, prête à toutes les humiliations, respirant déjà l'atmosphère âpre de la prison et du drame...

Mais Gordon avait versé de l'argent et tout s'était arrangé. Pourtant, un homme était mort.

Il fallut qu'un passant la bousculât, plantée sur une marche du palais de Justice, et qu'il la regardât d'un air étonné pour qu'elle se rendît compte combien son immobilité, en cet endroit, semblait étrange. Elle jeta les yeux sur le papier que le greffier lui avait remis et qu'elle tenait machinalement dans sa paume.

Téléphoner? Elle préféra se rendre au domicile de l'avocat. Celui-ci la reçut avec un visible embarras. Elle était la dernière personne qu'il s'attendait à voir s'immiscer dans cette affaire.

Néanmoins, il téléphona à l'hôtel où était descendu Gordon. Dès ce moment, Stella respira. Enfin, elle allait le voir! Il était ici, en chair et en os. Elle finissait par se demander si elle ne devrait pas repartir dans son île sans avoir communiqué avec lui et si, tout compte fait, elle n'avait pas épousé un mythe.

Elle l'attendait, le cœur battant, dans le petit salon où Mᵉ Lamarque l'avait introduite. Gordon ne fut pas long à arriver. Lorsqu'il pénétra dans la pièce, elle se leva, si troublée, qu'elle avait l'air d'une écolière prise en faute beaucoup plus que d'une femme qui vient généreusement au secours d'un suspect, menacé de prison.

— Oh! Gordon, je... je n'en pouvais plus d'être loin de vous...

Elle le regardait avec un petit sourire tremblé. Ce n'était plus le même Gordon, tendre et expansif, toujours un peu ironique. C'était un monsieur grave, trop bien habillé, qu'elle ne reconnaissait pas.

— Vous avez eu tort de venir, Stella.

Sa voix était brève, comme s'il était résolu par avance à ne pas se laisser émouvoir.

L'avocat s'était éclipsé et ils étaient seuls dans ce salon Directoire, en face du petit dieu Amour qui, un pied en l'air et le carquois menaçant, surmontait la pendulette de marbre.

— Mais Gordon, gémit-elle, je ne vivais plus. Je pensais que... enfin, je vous voyais dans cet horrible cachot, avec les menottes aux mains... sans nourriture... couchant sur un grabat.

— Et des fers aux pieds?

Cette image romantique qu'elle s'était faite arracha un demi-sourire au nouveau et sérieux Gordon.

— Calmez vos imaginations, Stella. D'abord, je n'étais encore que prévenu. On ne m'a pas passé à tabac, soyez sans crainte.

— Pourquoi ne m'avez-vous pas annoncé que vous étiez libre?... Pourquoi m'avez-vous laissée dans cette mortelle inquiétude?

— Mais je ne savais pas que vous étiez dans l'inquiétude, ma chère. Vous ne me l'avez pas fait savoir jusqu'à ce jour.

Stella comprit l'amertume du reproche. Elle rougit.

— Oh! Gordon, vous m'en voulez de n'être pas accourue tout de suite. J'étais si affolée, si assommée par cette affreuse découverte... Je m'attendais si peu à voir se terminer ainsi mon jour de noces... Et vous-même, Gordon, vous n'avez pas consenti à m'éclairer... J'ai été si malheureuse depuis...

Elle se serre contre lui, tel un petit animal craintif qui cherche une protection.

Comme malgré lui, Gordon a étendu la main vers les cheveux de Stella, mais il la retire brusquement.

— Tout cela est absurde, dit-il sèchement.

Stella, je n'aurais jamais dû me laisser entraîner à vous épouser.

— Gordon, vous regrettez?

Elle le scrute, les yeux élargis, scandalisée, avec une expression de détresse sur sa petite figure anxieuse. Il hausse les épaules.

— Je regrette... je regrette... bien sûr que je regrette... Pous vous, mon petit... Mais...

Quelque chose passe sur ses traits, un sourire qui ne touche pas ses lèvres, mais se réfugie au fond de ses yeux.

— Je m'explique ma folie. Vous êtes si charmante!

— Ah! vous voyez, dit-elle, réconfortée, avec une naïve satisfaction.

Et elle lui sourit de toute son âme. Il a un soupir :

— Mais tout cela nous entraîne dans un tel imbroglio...

Elle agrippe les revers de son veston et approche son visage du sien.

— Qu'y a-t-il au fond de ce mystère? Pourquoi ne voulez-vous pas vous fier à moi, Gordon? Pourquoi? Pourquoi étiez-vous dans l'île avec Jean, le soir où... où il a été tué?

Les traits de Gordon se ferment. Il s'éloigne. La détente qui s'était manifestée disparaît de sa personne raidie, butée. Sa voix redevient brève, presque hostile.

— Ne me posez pas de questions, Stella. Ah! vous n'auriez pas dû venir. Vous ne pouvez rien pour moi et je ne peux rien pour vous.

Elle s'insurge, outrée :

— Mais c'est grand-mère elle-même qui m'a encouragée à venir. Elle dit que, même si vous étiez un assassin, ma place serait près de vous.

— Même si j'étais un assassin, répète-t-il d'un ton singulier.

— Mais vous n'êtes pas un assassin, nigaud! reprend-elle avec force. Ni grand-mère, ni moi, nous ne le croyons. Comment peut-on ajouter foi à une telle fable? Il faut être aveuglé de haine comme l'est Géraldine. Oh! Gordon, je sais tout maintenant de la véritable cause du départ de Joël Guilvinec, autrefois.

Il est devenu attentif.

— Ah!

La jeune face mobile prend l'air des confidences.

— Il aimait Mammie! Il l'aimait, comprenez-vous? ajoute-t-elle, triomphante. Ils étaient d'accord. Et s'il est parti, c'est parce qu'il n'a pas voulu qu'il y ait encore du drame entre les deux familles. Oh! chéri, n'est-ce pas follement romanesque? Mais vous, Gordon, vous êtes revenu. Et vous ne partirez pas, n'est-ce pas? Vous ne gâcherez pas nos deux existences?...

Gordon s'est détourné, sans doute pour cacher son émotion.

— Hélas! dit-il, je suis revenu. Et cela a suffi pour que flambent à nouveau les vieilles

querelles et que le drame s'inscrive autour de
nous tous.

— Mais ce n'est pas vous qui rallumez les
vieilles querelles! Le drame, ce n'est pas vous
qui l'avez provoqué...

Les lèvres et la voix tremblantes, elle le
supplie, sa tête charmante toute proche du
profil détourné de Gordon, sa bouche près de
sa joue. Il s'éloigne brusquement.

— S'il vous plaît, Stella, ne jouez pas les
séductrices et laissez-moi en paix!

Il a parlé avec une telle violence qu'elle en
a le souffle coupé. Elle recule comme une
enfant effrayée. Elle est devenue cramoisie et
des larmes sourdent à ses paupières, tandis
qu'elle le considère avec une expression incrédule et déconcertée.

Il a honte de sa fureur et s'excuse, visiblement confus.

— Je vous demande pardon, Stella, dit-il
en étreignant sa tempe d'une main lasse. Je
suis un peu à bout de nerfs, tous ces temps-ci.
J'en ai vu de rudes... Enfin, écoutez...

Il change de ton, revient vers elle, qui se
replie sur elle-même craintivement, comme si
elle attendait un nouveau coup.

— Vous ne savez pas ce que vous feriez si
vous étiez une bonne petite fille?

Son ton est doux, fraternel.

Elle a une explosion de désespoir.

— Je ne veux pas être une bonne petite
fille. Je suis votre femme, Gordon.

Il semble écarter avec ennui un obstacle sans importance.

— Oubliez-le, au moins pour l'instant, corrige-t-il en voyant poser sur lui les regards de détresse de Stella. Attendez que j'y voie un peu plus clair et que je puisse transiger avec moi-même.

— Oh! que je voudrais y voir clair, moi aussi! s'exclame-t-elle avec une subite révolte. Il me semble que je m'agite dans une prison obscure où tout est ténèbre et hostilité. Enfin, pourquoi tout cela? Pourquoi? Tout était si beau et on était si heureux...

Sa voix se brise dans un sanglot. Gordon a posé sa main sur son poignet. Ce contact la calme. Elle attend, comme une alouette inquiète. Lui-même a repris son sang-froid.

— Ne nous faisons pas un mal inutile, chérie. Les choses sont assez... pénibles sans que nous y ajoutions nos réactions personnelles. Soyez courageuse. Et voulez-vous m'écouter?

— Oui, souffle-t-elle d'un accent faible et soumis.

— Je vais vous emmener.

— Où? s'effare-t-elle, déjà sur la défensive.

— Au restaurant. Nous allons dîner en tête à tête. Notre premier tête-à-tête, exprime-t-il avec une amertume qu'il ne peut maîtriser.

Et puis, il se raidit, lutte contre son émoi.

— Après, je vous reconduirai à la gare.

— Non, je ne veux pas vous quitter! clame-
t-elle dans une déchirante plainte.

— Il le faut, Stella. Soyez bonne, ma chérie.
Et peut-être Dieu nous prendra-t-il en pitié.
Et... bientôt, le cauchemar qui nous sépare
s'évanouira.

Ces paroles l'apaisent. Ses larmes taries,
elle le dévisage. Un espoir brille au fond de
ses yeux humides.

— Vous le croyez, Gordon? Nous... nous
pourrions être heureux ensemble... comme un
mari et une femme normaux et que la fatalité
ne poursuit pas? Oh! Gordon, mon chéri, nous
n'avons même pas été des époux d'une
heure!

Il lutte contre l'envie qu'il a de prendre le
corps charmant de sa femme et de la presser
contre lui, de poser ses lèvres sur le pâle
visage pathétique où luit néanmoins la douceur d'une espérance nouvelle.

Mais il se contente de lui saisir la main et
fait doucement tourner l'alliance autour de
son doigt.

— Puisque vous voulez être ma femme
quand même, envers et contre tous, obéissez-
moi. Acceptez de dîner en ma compagnie. Et,
tout à l'heure, je vous reconduirai à la gare et
vous mettrai dans le train. Voulez-vous?

Comment résister à la voix ferme et persuasive de cet inflexible Gordon?

— Puisqu'il le faut, soupire-t-elle, en rava-
lant héroïquement un sanglot.

— Alors, venez...

XIV

Stella devait se souvenir toujours de cette fin d'après-midi où elle avait arpenté au bras de Gordon les rues de la vieille cité bretonne. Son chagrin s'était assoupi au fond de son cœur. Elle était avec son mari et cette magique présence la délivrait momentanément de son angoisse.

Et pourtant... Ils étaient destinés à se séparer quelques heures plus tard. Pour combien de temps? Elle retrouverait l'île et son problème tragique, la hargne de Géraldine, les suspicions d'Anaïs, la curiosité des villageois... et sa solitude. Lui, n'était qu'un prisonnier libéré sous caution, menacé de tant de dangers redoutables qu'elle ignorait.

Mais, pour l'instant, ils avaient devant eux un trésor de minutes plus émouvantes d'être précaires, plus précieuses d'être menacées.

— Oublions nos soucis pour cette soirée, Stella. Aujourd'hui nous appartient, avait dit Gordon en sortant de chez l'avocat.

Et il l'avait emmenée, comme tant de fois

elle avait rêvé de l'être, son bras passé sous le sien, serrée contre lui, tel un jeune couple amoureux.

Dans la ville inconnue, tout lui était sujet d'enchantement : les rues montantes aux durs pavés, la noblesse des places, le charme des jardins, la somptuosité, à ses yeux peu blasés, des étalages et des vitrines.

— Voulez-vous faire un tour en voiture? proposa Gordon.

Elle accepta avec une joie d'enfant.

Ils prirent une victoria désuète que tirait un cheval alezan au poil lustré. Juchés sur la banquette, ils admirèrent du haut tout le panorama qui se déroulait comme un film vivant.

Stella ouvrait de grands yeux, fascinée par le mouvement, l'agitation des rues peuplées et passantes.

— Qu'est-ce que ce sera quand vous verrez une capitale! remarqua Gordon, amusé par les explosions spontanées de sa surprise.

Elle avait déjà oublié tout ce qui la menaçait pour se donner toute au spectacle et à la joie présente.

C'était une nature heureuse que, jusqu'ici, la vie n'avait pas blasée. Elle s'émerveillait de tout et gardait intacte cette faculté d'enthousiasme, apanage des êtres jeunes.

— Oh! Gordon, vous m'emmènerez dans la capitale?

— J'avais rêvé de vous emmener bien plus loin, murmura-t-il.

Ramené à la réalité, le visage de Stella se voila de mélancolie.

— Au fond, dit-elle, je ne désirerais rien autre chose que de vivre avec vous dans un coin de mon île, Gordon. Le monde est beau parce que vous y êtes près de moi.

Il lui serra la main silencieusement et, dans cette pression chaleureuse, elle sentit toute sa tendresse revenue. Une bouffée de gratitude afflua à son cœur. Ah! si cette promenade enchantée avait pu durer.

Mais les heures passaient comme passent les rêves. Lorsqu'ils abandonnèrent leur véhicule, la nuit était tombée. Les magasins et les rues brillaient de feux nouveaux.

— Il est bientôt sept heures, dit Gordon, et votre train part à neuf. Nous allons dîner. Je connais une petite auberge près de la vieille place à la fontaine que vous avez admirée tout à l'heure. On y sera tranquilles.

La poitrine de Stella se rétrécit, mais elle ne protesta pas.

Ils remontèrent la vaste rue éclairée où étincelaient les vitrines avec toutes les précieuses choses exposées. L'approche de Noël apportait un lustre nouveau à chaque étalage, déjà orné de gui et de houx et de guirlandes blanches.

Noël... Ils ne seraient pas ensemble. Ils s'étaient arrêtés devant un magasin de fourrures rutilant de lumière au néon. Gordon lut sa détresse sur le visage de Stella.

— Je vais vous faire un cadeau, décida-t-il,
mon premier cadeau, chérie.

Il ouvrit la porte et la poussa légèrement
dans la boutique. Une vendeuse blonde et par-
fumée vint au-devant d'eux avec un sourire
aimable.

— Pourriez-vous livrer pour huit heures à
mon hôtel? s'enquit le jeune homme.

— Si vous choisissez un modèle de la col-
lection, certainement, monsieur.

Gordon alla à la caisse et parlementa avec
la préposée qui fit un signe affirmatif.

— Je voulais m'assurer que je pouvais
payer par chèque, déclara-t-il en revenant
vers Stella qui contemplait avec un émer-
veillement candide toutes les pelleteries exposées. Choisissez ce que vous voulez.

Elle leva vers lui un regard abasourdi.

— Que je choisisse parmi toutes ces mer-
veilles? Mais c'est bien trop beau et trop
cher...

— Rien n'est trop beau, ni trop cher pour
vous.

Elle pensa soudain aux deux millions qui
avaient payé la liberté provisoire de Gordon.
Etait-il donc si riche? Pour la première fois,
elle éprouvait la puissance de l'argent.
Jusque-là, elle avait surtout appris à compter
et à économiser. Pouvait-on s'offrir un objet
d'une telle valeur rien qu'en écrivant sur un
bout de papier?

Peu familiarisée avec les tractations ban-

caires, cela lui parut une sorte de sacrilège et
elle ne fut pas loin de regarder Gordon
comme un magicien. Hélas! l'argent n'achetait pas tout... puisque toute la fortune de
Gordon ne pouvait faire qu'ils fussent réunis
et que se dissipât l'ombre écrasante qui pesait
sur leur destin.

Courageusement, elle repoussa les idées
tristes. Il ne fallait pas gâcher ces pauvres
instants que leur accordait le sort.

Zélée, flairant une bonne vente, la vendeuse
souriante lui passait tour à tour ses plus
luxueux modèles. Incrédule et légèrement
intimidée, Stella regardait dans la glace ce
reflet d'elle-même qui empruntait aux souples
et tièdes fourrures une féminité nouvelle.

Où était la jeune îlienne vêtue d'un pantalon de grosse laine et d'un rude pull-over?

Gordon la conseilla. Il avait le goût très sûr.
C'est lui qui choisit pour elle le manteau
d'ocelot et la petite toque assortie.

— La livraison sera faite dans un quart
d'heure à l'adresse indiquée, promit la vendeuse.

En remontant vers le restaurant, Stella,
confuse, remercia Gordon.

— Comme vous m'avez gâtée!... Mais que
ferai-je d'une aussi jolie parure... si... si vous
n'êtes pas là pour la voir, proféra-t-elle tandis
que sa bouche tremblait.

« Oh! Gordon, j'ai tant de chagrin! »

— Chut! Stella... Vous m'avez promis d'être
courageuse.

Il l'arrêta sous le lampadaire et, sans souci des passants, il lui prit les tempes entre ses deux paumes pour la regarder dans les yeux.

— Vous ne doutez plus de moi, Stella?

— Je n'ai jamais douté dans le fond de mon cœur.

— Alors, ayez confiance et soyez patiente.

Le dîner fut moins gai qu'ils ne l'auraient voulu. La petite auberge était pourtant accueillante avec ses vieux cuivres et ses nappes à carreaux.

Gordon choisit des mets délicats, des vins savoureux, un menu qui ouvrit à la petite sauvage de l'île des horizons gastronomiques qu'elle ignorait. Elle s'apercevait, en fait, qu'elle ignorait beaucoup de choses. Loin de s'en affecter, Gordon paraissait plutôt s'en amuser et même s'en réjouir. Comme beaucoup d'hommes, il appréciait ce côté « enfant » qu'avait gardé Stella et d'avoir tout à lui apprendre de la vie.

Il aimait ce petit air effaré qu'elle prenait parfois, ses surprises émerveillées, ses étonnements naïfs.

— Vous êtes pour moi un bain de fraîcheur, Stella, disait-il en la regardant avec cette expression moqueuse et tendre qui lui était devenue si chère.

L'aiguille inexorable de la pendule à caisse avançait impitoyablement. Gordon pressa le service et sortit avec Stella.

— Nous allons passer à mon hôtel chercher

votre manteau qui doit y être maintenant, décida-t-il.

Ils prirent une voiture. Et Stella suivit son compagnon dans le tambour de l'hôtel.

Interrogé, le portier déclara effectivement qu'on avait apporté un carton qui avait été monté dans la chambre de M. Guilvinec.

— Attendez-moi ici, Stella. Je vais le chercher. Installez-vous dans ce fauteuil.

Il la conduisit dans le coin du hall, derrière la caisse. Le portier le rappela :

— Il y a un monsieur qui vous a demandé, monsieur Guilvinec.

Gordon s'immobilisa.

— A-t-il dit son nom?

— Non, il semblait très pressé de vous rencontrer. Il est déjà venu plusieurs fois. Il reviendra dans la soirée.

— Si je ne suis pas là, vous lui direz de m'attendre et de laisser son nom, décréta Gordon avant de monter dans l'ascenseur.

Stella, déjà inquiète, avait dressé l'oreille. Un monsieur qui demandait Gordon? L'image du juge qu'elle avait vu le matin et qui l'avait impressionnée lui revint à l'esprit. Gordon serait-il à nouveau menacé?

Elle guetta anxieusement le retour de l'ascenseur qui avait emporté son mari. Mais quand il redescendit, il n'était pas encore dans le flot des personnes qui affluèrent dans le hall et se dispersèrent aussitôt.

Soudain, le timbre d'une voix la fit sursauter :

— M. Guilivinec est-il revenu?

La voix était saccadée, fiévreuse. Pourtant, Stella l'aurait reconnue entre mille.

Elle entendit comme dans un rêve :

— Qui dois-je annoncer, monsieur?

— Inutile, dit l'autre. Je monte.

— Mais, monsieur... protestait le portier qui laissa aussitôt retomber sa main avec un geste d'impuissance.

L'autre était déjà dans l'escalier.

Stella s'était dressée, les deux bras tendus vers le visiteur qui n'avait même pas tourné la tête de son côté.

— Hervé!...

L'appel arraché à la stupeur de la jeune femme ne l'avait pas atteint. Il devait déjà être arrivé dans l'appartement de Gordon. Tout un mécanisme se déclencha dans l'esprit bouleversé de Stella : Gordon... Hervé... la vendetta...

Elle pâlit soudain et, s'arrachant à sa surprise figée, bondit vers le bureau.

— Le numéro de la chambre de... de la chambre de M. Guilvinec. Vite!

Elle haletait. Le portier, ahuri, considéra le visage angoissé de sa cliente. Machinalement, il laissa tomber un chiffre, puis, se ravisant :

— Mais, madame, M. Guilvinec va redescendre. Il a quelqu'un en ce moment.

— Justement!...

Elle courait vers l'escalier.

— Prenez l'ascenseur! lui cria le portier.

Elle fit demi-tour et s'engouffra dans la cage vitrée.

— Vite... vite... troisième, dit-elle au groom.

Le portier, haussant les épaules, — il en avait vu d'autres, — prit le téléphone intérieur.

-:-

Stella perdit beaucoup de temps dans les couloirs du vieil hôtel avant de trouver ce numéro 37, qui était celui que lui avait indiqué le portier. Son cœur battait une chamade désordonnée et l'émotion nouait sa gorge quand elle le découvrit.

La chambre de Gordon était située dans un renfoncement. Nul bruit n'en sortait. La main tremblante de Stella toqua au lourd panneau de bois plein. Néanmoins, la voix de Gordon retentit et délia l'angoisse à son cœur.

— Entrez, disait la voix rauque et impatientée.

Dieu merci, il était encore vivant! Ce fou d'Hervé n'avait pas eu le temps d'accomplir son forfait.

Stella manœuvra vivement le loquet. D'un coup d'œil éperdu, elle enregistra la scène : Gordon, debout au milieu de la grande pièce archaïque que le vaste lit à colonnes n'arrivait pas à encombrer, et, comme replié sur lui-même et adossé au mur, Hervé.

Tout de suite, elle imagina le pire. Hervé était armé. Il devait menacer Gordon. L'intru-

sion de Stella lui avait fait rengainer l'arme
meurtrière.

Elle se précipita vers son frère, haletante,
suppliante, affolée. Les mots se précipitaient
en désordre à la barrière de ses dents crispées
et elle bredouillait, incapable d'articuler con-
venablement une syllabe.

— Hervé!... Hervé... — elle suffoquait, — je
t'en conjure... écoute-moi!... Ne te laisse pas
aveugler par la colère... Il... Gordon n'est pas
coupable... Oh! Hervé, je peux t'en faire le
serment sur ce que nous avons de plus cher
au monde... sur la tête de grand-mère, tiens...
Et pour grand-mère, je te dirai ce qu'elle m'a
confié et ce qu'il faut que tu saches, aussi... au
sujet de Joël... Et pour Gordon, il n'a pas tué
Jean!... Et pourquoi l'aurait-il fait?... Il n'a
rien fait... Il n'est pas capable de... non!
Jamais je ne le croirai... Il va t'expliquer,
mais donne-lui le temps! Il va tout te dire.
Oh! Gordon, — elle se tournait vers lui, frémissante, sans voir le regard de pitié atten-
drie qu'il appuyait sur elle, — pour moi, pour
nous, pour notre amour, dites-lui... Oh! Gordon, vous ne voulez pas que je meure...
d'angoisse, de chagrin... de peur... Je n'en
peux plus... Vous me faites si mal, tous les
deux!...

Elle allait s'abattre comme une fleur fau-
chée entre les deux hommes. Gordon s'élança.
Ses bras forts la soutinrent, la relevèrent.

— Stella... ma chérie... calmez-vous!... Ecou-
tez-moi!

Elle sanglotait nerveusement sur son épaule. La voix d'Hervé s'éleva, nerveuse, saccadée et sourde en même temps.

— Ne dis pas de bêtises, Stella. Guilvinec, enfin, ton mari, puisqu'il est ton mari, n'a rien à craindre.

Un grand frisson secoua Stella. Elle regarda son frère à travers l'éventail de ses doigts.

— C'est vrai? Tu me le promets?

Son timbre gardait son anxiété. L'espoir n'osait pas encore se faire jour. Elle avait eu si peur.

— Te promettre quoi?

Gordon intervint :

— Je vous promets, Stella, que je ferai tout ce que je pourrai pour sauver votre frère.

Stella s'immobilisa. Ses larmes tarirent d'un coup. Elle regarda tour à tour Guilvinec et Hervé et elle s'aperçut soudain de l'air hagard, de l'expression traquée de celui qu'elle avait pris pour un justicier.

— Je ne comprends pas, balbutia-t-elle.

— C'est pourtant simple, dit rudement Hervé. C'est moi qui ai tué Jean.

— Quoi?

Les yeux de la jeune femme s'étaient élargis.

— Que dis-tu? s'exclama-t-elle, en le considérant avec incrédulité, comme si elle pensait qu'il avait soudain perdu la raison.

La confession vint, spontanée, frémissante.

— J'ai tué Jean... Je ne voulais pas le tuer...

encore que ce soit tout ce qu'il méritait, ce
maudit chien... mais je ne suis pas un meurtrier.

Il regarda ses poings avec une sorte d'épouvante.

— Ce sont ces mains-là qui ont tout fait. Je
suis impulsif, je ne connais pas ma force.
Jean m'a avoué ses forfaits. Il implorait ma
protection. Il pensait que je l'aiderais à se
sauver et à échapper au juste châtiment, surtout à cause de la personnalité de Gordon
Guilvinec et des querelles de nos deux
familles. Comme si cela comptait en face de
ses responsabilités à lui, le porc!... J'ai vu
rouge. Nous nous sommes battus. Je l'ai
envoyé rebondir sur le mur de la tour où
avait lieu notre discussion. Il n'a plus bougé.
J'ai cru qu'il se dérobait comme un lâche qu'il
était. Je suis parti pour ne pas l'achever.
J'étais fou... Dieu me pardonne, je ne savais
pas qu'il était mort.

Le visage de Stella exprime la plus profonde stupeur.

— Je continue à ne pas comprendre comment tout cela est arrivé, formule-t-elle d'une
voix brisée. Que faisiez-vous dans la tour? Et
pourquoi vous êtes-vous battus?

— C'était un traître et un lâche, dit Hervé,
le front bas. Je ne regrette pas de l'avoir châ-
tié. Il a eu ce qu'il méritait.

— Mais qu'a-t-il fait?

— Tu veux le savoir?

Hervé relève le front et fait face à sa sœur. Ses lèvres tremblent.

— Pendant que notre père mourait pour ne pas livrer les siens, pendant que je me terrais, pareil à un gibier pourchassé, pendant que tant des nôtres subissaient les pires tortures, lui, achetait sa liberté et les faveurs de l'ennemi en vendant ses frères. Des hommes ont souffert le martyre à cause de lui. Et il a continué à faire sa sale besogne, en pays occupé, alors que Géraldine le croyait toujours prisonnier. Il a introduit la honte dans notre maison. Je l'ai su quand on lui a demandé des comptes et qu'il a eu peur. Alors, il m'a supplié de l'aider. Et il a dû me montrer sa vilaine âme de pourceau. Voilà pourquoi nous nous sommes battus.

Stella est atterrée. Et pourtant, tout au fond de sa peine et de ce désarroi que sèment en elle ces révélations inattendues, il y a une espèce d'allégement : Gordon n'est pas coupable! Gordon est sauvé!

Mais Hervé... et Géraldine... et Marie Le Meur, tous ceux-là qui sont atteints à des degrés divers dans ce sentiment de l'honneur si vif chez les gens de cette forte race, en quelle vague de désespoir les entraînent ce drame, ses causes et ses terribles effets!...

La lâcheté de Jean les engage tous et pareillement la culpabilité d'Hervé.

— Pauvre Géraldine! Quel coup pour elle, pour son orgueil! Tout cela est trop affreux,

explose Stella qui s'écroule dans les bras secourables de Gordon Guilvinec.

... Ce ne fut qu'un peu plus tard, lorsque les
tendres et patientes paroles de son mari
eurent ramené un peu de calme dans l'âme
douloureuse de Stella, qu'elle fut mise au courant des circonstances qui avaient fait
d'Hervé un involontaire meurtrier.

Les causes du drame remontaient à
l'époque de la guerre et de l'invasion. Lorsque
Jean Gallahan avait acheté, par une délation,
sa libération du camp de prisonniers où il se
trouvait depuis le début des hostilités, il ignorait peut-être quel terrible engagement il prenait vis-à-vis de ceux qu'il reconnaissait pour
maîtres et dans quel engrenage il était
entraîné. Ainsi nos actes se suivent et se com-
mandent et nous mènent parfois à notre insu
beaucoup plus loin que nous ne pensions
aller.

Traître une première fois par ce qu'il appelait une nécessité qui l'avait sans doute excusé
à ses propres yeux, le nouveau « libéré »
devait le redevenir par force. On lui confia
des « missions ». Peut-être regimba-t-il, peut-
être eut-il honte de ce qu'il était amené à
faire : on n'est pas impunément un renégat.

Néanmoins, il ne pouvait plus reculer. Il
accepta par force les honteuses tâches qui lui
étaient dévolues. Au reste, il n'avait pas le
choix. Il avait choisi de trahir le jour où il
avait pactisé avec ceux qui tenaient entre
leurs mains sa liberté et sa vie. Pascal Le

Meur, lui, avait choisi la mort... et c'est à cause de cela que son fils était devenu un meurtrier.

Lorsque Gordon Guilvinec, le lieutenant « David » dans l'incognito de son activité patriotique, fut parachuté en France pour la énième fois et qu'on lui présenta la nouvelle recrue qui avait demandé à faire partie de l'organisation à laquelle il appartenait, il ne pouvait établir aucune corrélation entre cet homme et la famille Le Meur, dont il avait entendu parler. Il ignorait tout des liens de famille et de l'endroit où vivait cet individu.

Au surplus, à cette époque, chacun était dans le feu de l'action et on avait un peu perdu la mémoire de ce qui n'était pas immédiatement mêlé à la brûlante aventure dans laquelle on s'engageait.

Pareillement, Gallahan ne se doutait pas que l'officier hardi qui était envoyé clandestinement sur le terrain occupé par l'ennemi appartenait au clan des Guilvinec, anciens pillards dont sa belle-famille cultivait la haine traditionnelle.

Jean était entré dans le réseau pour y faire sa malfaisante besogne de Judas et il l'accomplit. Les patriotes furent arrêtés. Le réseau entier dut être dissous. Beaucoup d'entre les meilleurs payèrent de terribles souffrances et de leur vie la confiance qu'ils avaient témoignée à Jean Gallahan.

Gordon fut parmi ceux qui échappèrent au

filet tendu pour eux tous. Mais il s'était promis de châtier le responsable.

La guerre terminée, Gallahan se terra dans l'île. Il se flattait d'échapper à ses affreuses responsabilités. Mais l'inquiétude n'était qu'assoupie au fond de son cœur. Peut-être la voix véhémente de ses victimes troublait-elle son sommeil. C'est pourquoi Géraldine l'avait trouvé si changé, sombre, sauvage, jamais en repos. C'est pourquoi il parlait parfois de s'embarquer sur quelque chalutier qui l'eût emmené si loin qu'il eût été, jugeait-il, non seulement à l'abri d'une vengeance, mais peut-être aussi à l'abri de ces voix intérieures qui le poursuivaient sans cesse.

Gordon fut chargé de rechercher Jean Gallahan. Il avait perdu beaucoup d'amis, de camarades, des purs, des sincères, par la faute de cet homme, et il mit à le poursuivre un zèle que justifiait sa fidélité pour les disparus. Il finit par retrouver sa trace.

A ce moment, il savait que Jean Gallahan ne pourrait plus échapper à la justice en marche. Il lui écrivit et signa la lettre de son nom : Gordon Guilvinec, alias lieutenant David.

Cette première lettre jeta l'affolement dans le cœur troublé du misérable époux de Géraldine. Il se sentit perdu. Sachant l'homme dans l'île de Roch-Manech, Gordon s'était en même temps avisé que c'était justement là l'endroit où il possédait un vieux manoir en ruine. Il ne savait pas dans quel état il allait le trou-

ver, ne l'ayant jamais connu que par les dires
de son père à qui le vieux Joël en avait
parlé.

Il donna donc rendez-vous une première
fois à Gallahan dans ce manoir qu'il croyait
habitable. Gallahan n'ayant pas répondu,
Gordon lui écrivit un second billet l'avertis-
sant de sa venue et lui enjoignant de
l'attendre au bourg, dans un café, qui, après
renseignement pris, était le terminus de
l'autocar.

Gallahan prit peur. Il sentit chez son adversaire la volonté très nette de le poursuivre et
de l'atteindre coûte que coûte pour lui
demander des comptes. D'autre part, la personnalité de cet adversaire inopiné lui fournit
l'idée d'appeler à la rescousse son beau-frère
Hervé. Il supposait que la vieille haine des
Le Meur jouerait et qu'ils seraient à deux à
lutter et probablement à mettre Guilvinec
hors de combat.

Il avait compté sans l'honnêteté foncière et
le patriotisme d'Hervé Le Meur. Ce n'était pas
pour rien que Pascal Le Meur s'était sacrifié à
un idéal que son fils avait juré de servir lui
aussi. Dans cette occurrence, c'est du côté de
Guilvinec, l'ennemi héréditaire, mais le frère
d'armes, que fut Hervé.

Le soir du drame, Hervé était allé chercher
son beau-frère au bourg. Il ne savait encore
rien. Il voulait seulement lui dire au revoir au
moment de son départ pour la campagne de
pêche et lui confier la maison.

Il avait pris le courrier au petit bureau de poste du bourg, comme il le faisait quelquefois, afin de ne pas attendre au lendemain que le facteur de l'île le lui délivre, et dans ce courrier se trouvait le deuxième billet de Guilvinec à Gallahan, lui fixant rendez-vous pour le lendemain au café de la Place.

Jean avait lu le message, en manifestant un trouble qui n'échappa pas à son compagnon.

Celui-ci demanda des explications.

— Je te dirai cela quand nous serons dans l'île, répondit Jean qui voulait se donner le temps de trouver une fable quelconque.

La manœuvre avait occupé toute l'attention d'Hervé durant le trajet. Mais, en mettant le pied dans l'île, il interrogea Jean à nouveau.

— J'ai un rendez-vous dans la tour de Castel-Pirate.

— Un rendez-vous à la tour?

— Avec Guilvinec.

Cette nouvelle ahurit Hervé. Il n'avait plus entendu parler des Guilvinec depuis son enfance. Néanmoins, ses souvenirs étaient encore assez vifs pour lui faire serrer les dents quand on prononçait ce nom abhorré.

Il crut tout d'abord au retour offensif de l'ancienne vendetta.

— Si ce bandit s'avise de revenir ici, nous allons le recevoir comme il convient, dit-il.

— Allons voir ce qui se passe du côté de la tour et comment nous pourrions prendre ce

matamore au piège quand il sera là, proposa
Jean.

Hervé accepta. Il laissa sa barque au rivage
et prit avec son beau-frère la route du castel.

En chemin, il posa des questions précises à
Gallahan. Comment connaissait-il Guilvinec?
Où l'avait-il rencontré?... Jean répondit d'une
façon équivoque, avec un embarras qui sema
des doutes dans l'esprit d'Hervé, lequel poursuivit son enquête. A la fin, Jean, très nerveux
et incapable de se contenir davantage, livra
son secret. Tout en minimisant ses méfaits, il
révéla le motif des menaces de Guilvinec.

Cette révélation provoqua une réaction vio-
lente chez Hervé. Il fit subir à son beau-frère
un véritable interrogatoire. Ayant obtenu du
traître la vérité, il entra dans une si terrible
colère que, effrayé, Jean s'enfuit à travers les
ruines, pourchassé par Hervé.

Ce dernier le rejoignit dans l'une des salles
démantelées du castel. Là, au milieu des
vieilles pierres, sous la lumière de la lune qui
éclairait cette scène pathétique et terrifiante,
Hervé força son beau-frère à se battre.

Lui-même était animé d'une telle indignation, d'une si folle rage, qu'il mit à ce combat
une farouche ardeur. Il ne se possédait
plus.

A la fin, il envoya rouler son adversaire
contre les murailles où le traître s'affaissa, en
gémissant.

Hors de lui, Hervé le planta là et rentra à

Maison Rousse. Il eut juste le temps de préparer son départ, car il embarquait à l'aube pour rejoindre la flottille dont le *Cormoran* faisait partie.

Depuis, il ignorait complètement comment s'était terminée cette triste aventure. Il avait décidé d'abandonner le misérable à ceux qui avaient résolu de le châtier. Il s'attendait donc à le savoir arrêté et remis aux autorités et s'affligeait de la honte que le procès du traître amènerait dans leur maison.

La lettre de Géraldine le plongea dans une stupeur profonde. Tout d'abord, il ne comprit pas ce qui s'était passé. Gordon Guilvinec était-il venu à la tour et avait-il lui-même exécuté Gallahan? Son incertitude ne dura pas. Une deuxième lettre, de Marie Le Meur cette fois, lui raconta toutes les péripéties de la découverte du corps.

On aurait dit que la vieille Bretonne flairait la vérité. Elle demandait à Hervé de faire taire son animosité héréditaire et de venir au secours de Stella et de son mari, injustement arrêté.

Hervé comprit alors que le meurtre qu'on avait tout d'abord attribué à Guilvinec, c'était lui qui en était l'auteur involontaire : lorsqu'il avait laissé Jean Callahan dans la tour, celui-ci était en train de mourir du coup qu'il avait reçu sous l'aveugle poussée de son beau-frère.

Ayant acquis cette conviction, Hervé, aussitôt, mit tout en œuvre pour rentrer. Il était

venu droit sur Rennes, où il était arrivé au
milieu de l'après-midi. Il s'était renseigné au
palais de Justice et avait eu l'adresse de l'avocat de Gordon, qui lui avait communiqué
celle de l'hôtel où ce dernier s'était réfugié.

... Maintenant, Stella pleurait à petits coups
contre la poitrine de Gordon.

— En tout cas, ce traître a payé sa dette, dit
Hervé en relevant la tête d'un air de défi. Je
n'ai aucun regret de m'être fait, même invo-
lontairement, son justicier.

— Mais, Hervé, que vas-tu devenir? gémit
Stella, en regardant son frère à travers ses
larmes.

— J'irai me constituer prisonnier, advienne
que pourra.

Gordon prit la parole. Son ton était ferme
et amical.

— C'est plus sage, en effet, dit-il.

— Grand-mère en mourra! sanglota Stella.

Le bras de Gordon se fit plus assuré autour
de sa taille.

— Ne vous tourmentez pas, Stella, votre
frère s'en tirera très bien et je me fais fort,
avec l'aide de mon avocat, de lui obtenir une
mise en liberté immédiate, en attendant le
jugement et l'acquittement qui ne fait aucun
doute.

— Vous croyez? balbutia Stella, reprise à
l'espoir.

Elle releva la tête et considéra Gordon avec
confiance.

— Examinons la situation froidement, dit Gordon.

Il se mit à arpenter les quelques mètres de moquette d'un air réfléchi. Tous deux suivaient ses mouvements, Stella avec passion, Hervé avec un intérêt où commençait à percer son espérance.

— Ce que je puis vous dire, d'ores et déjà, c'est que j'ai eu, par le juge qui m'a interrogé, communication des constats du médecin légiste. Il a conclu à une mort accidentelle, due au choc brutal contre la paroi rocheuse. Reste à établir la responsabilité de l'adversaire dans cette mort, puisqu'il a été prouvé qu'il y avait eu lutte. Ce qui a compliqué les choses, c'est le billet qui portait ma signature et qu'on a trouvé sur le corps.

« Dès que j'ai eu fourni au magistrat les éclaircissements indispensables, j'ai été mis hors de cause. La caution que j'ai déposée fut une simple formalité pour hâter ma mise en liberté. Cette caution, j'offrirai de l'abandonner pour vous », acheva-t-il en se tournant vers son beau-frère.

Stella eut un élan de gratitude.

— Oh! merci, merci... Vous êtes si bon, Gordon.

Hervé regardait Gordon. Sa figure rude et sincère exprimait des sentiments multiples. Gordon y lut ce que le Breton ne disait pas. Et quand Hervé — incapable de parler autrement que pour lui lancer un merci spontané

qui faisait écho avec celui de Stella — lui
tendit la main, il la serra avec chaleur.

La femme de chambre frappait à la porte.

— Puis-je faire la couverture? dit-elle en
s'excusant de troubler l'entretien.

— Bien sûr, faites, dit sèchement Gordon,
absorbé par ses pensées.

Stella détourna la tête.

Lorsque la servante fut repartie, son service
fait, Gordon reprit le colloque et apostropha
Hervé.

— Voilà, décida-t-il, si vous m'en croyez,
vous n'attendrez pas à demain. Mieux vaut en
terminer tout de suite et préparer votre
défense; après quoi, je vous conseille — et
mon avocat vous le conseillera aussi probablement — de vous rendre immédiatement
entre les mains de la justice. Quand êtes-vous
arrivé?

— J'ai débarqué ce matin, à Brest. J'ai pris
le train tout de suite.

— Cette précipitation ne pourra qu'impressionner favorablement le juge. Je vais téléphoner à mon avocat et prendre rendez-vous
pour tout de suite.

— Déjà! murmura anxieusement Stella.

Sa figure tirée disait son angoisse.

Gordon lui posa la main sur l'épaule.

— Ne craignez rien, petite fille. Attendez
ici.

Au moment de franchir le seuil de la pièce,
Hervé s'arrêta. Il considéra tour à tour sa

sœur et celui que les circonstances lui avaient
donné comme beau-frère.

— Je souhaite que l'avenir vous rende en
bonheur tout ce que vous faites pour nous,
Guilvinec, dit-il d'une voix chavirée.

Gordon sourit.

— Cela a déjà commencé, mon vieux.

-:-

... Une heure au moins, peut-être plus,
s'était écoulée. Peut-être Stella s'était-elle
endormie. Un commencement de migraine
qui lui serrait les tempes s'était évaporé
quand elle reprit conscience des choses.

Elle réalisa soudain le lieu où elle se trouvait... enregistra le décor : le lit avec sa cour-
tepointe bien tirée, l'oreiller, la lampe à abat-
jour allumée sur la table de chevet. La robe
de chambre de Gordon était posée sur le dossier d'un fauteuil. C'était une robe de
chambre élégante en surah rayé. Un léger
parfum de tabac blond flottait. Stella reconnut l'odeur qu'elle avait appris à aimer
lorsque son blessé habitait Maison Rousse.

Elle soupira.

Le carton du fourreur était sur la commode. Elle se risqua à l'ouvrir. Le manteau
d'ocelot brillait sous la lueur douce de la
lampe. On aurait dit des milliers de petits
yeux qui regardaient Stella avec amitié. Elle
revit le geste de Gordon déposant son man-

teau sur ses épaules... sentit le doux effleure-
ment des mains de Gordon.

Par un réflexe de coquetterie, elle posa le
vêtement sur son dos et se mira dans la glace.
Elle retrouva le reflet d'elle-même qui l'avait
étonnée et un peu émerveillée dans la boutique du fourreur.

Un pas retentit dans le couloir. C'était Gordon. Il était seul. Une botte de roses resplen-
dissait entre ses bras.

— Alors? s'enquit la jeune femme anxieusement.

Gordon sourit. Le sourire rassurant de Gordon avait retrouvé un peu de sa causticité
première et ses yeux leur petite flamme ironique.

— Alors?... Notre héros s'éveillera demain
matin sur la paille humide des cachots.

— Oh! Gordon, dit Stella, choquée, comment pouvez-vous plaisanter avec une
pareille chose?

Il s'approcha d'elle sans cesser de sourire.

— Petite bécasse chérie, si je n'avais pas
l'absolue certitude que votre frère ne risque
rien et qu'il s'en tirera avec tous les honneurs
de la guerre, plaisanterais-je?... Gallahan
était un misérable et Hervé un homme de
cœur. La justice de Dieu est intervenue avant
celle des hommes et les poings d'Hervé n'ont
été que son instrument. Ce n'est peut-être pas,
après tout, si rare qu'on le croit.

Stella revenait à la vie. Ce poids d'angoisse

et de terreur qui écrasait sa poitrine se soulevait peu à peu.

Elle enfouit son visage dans les corolles parfumées. Maintenant, elle pouvait penser à elle-même. Mais une étrange timidité lui venait.

— Au fait, dit-il, où avez-vous laissé votre valise, Stella?

Elle s'alarma, le doigt sur la bouche, comme une fillette prise en défaut. Sa valise? Durant ces dernières heures, cela avait été le dernier de ses soucis!...

— C'est vrai... Je l'ai oubliée dans le hall.

Son œil alla machinalement à la pendule, qui marquait près de onze heures.

— Mon Dieu... j'ai bien peur d'avoir manqué mon train, dit-elle. Etes-vous sûr qu'il n'y en a pas un autre, Gordon?

— Eh bien! ma chère, on va le demander. Et, en même temps, vous vous inquiéterez de votre valise.

Il sonna, puis, tourné vers Stella qui se tenait figée au milieu de la pièce, son bouquet de roses entre les bras :

— Vous avez l'air d'une dame en visite.

Le cœur de Stella battait à tout rompre.

— Je... je suis en visite. Dans la chambre d'un monsieur, à onze heures du soir, dit-elle plus bas. Je n'aurais pas cru cela possible.

— Mon Dieu... ce monsieur est *tout de même* votre mari... C'est moins grave.

— *Tout de même,* chuchota-t-elle.

Elle le regardait de biais. Les roses lui cachaient la moitié du visage et sa joue visible était aussi rose que le bouquet.

Allait-il vraiment la renvoyer vers la solitude qui serait désormais son lot, si Gordon la repoussait de sa vie? Gordon!... Il signifiait tant de choses pour elle. Est-ce que l'horrible forfait de Gallahan avait creusé entre eux un fossé infranchissable, comme la haine qui divisait autrefois les Le Meur et les Guilvinec?...

Ne l'avait-elle retrouvé que pour le perdre?

Il se tenait là, devant elle, sans mot dire, très grand, si grand, et il souriait d'un sourire dont elle n'arrivait pas à comprendre le sens mystérieux.

Il y eut un coup frappé à la porte. Stella sentit une griffe d'acier lui étreindre le cœur. Son sort se jouait en cet instant.

— Entrez, dit la voix de Gordon — une voix calme, si terriblement calme!...

Le gardien de nuit se montra. Il avait ce visage de bois de tous les gardiens de nuit dans tous les hôtels du monde. Elle le regarda avec terreur, comme l'employé implacable du destin.

— Vous avez appelé, monsieur?

— Oui.

Stella fit un mouvement comme pour sortir. L'accompagnerait-il seulement?... Ou bien allaient-ils se séparer au seuil de cette chambre?

L'homme attendait, impassible.

— Apportez un autre oreiller, dit la voix de son mari.

— Bien, monsieur.

La porte se referma, Stella ne bougea pas. Des cloches tintaient à ses oreilles... C'étaient comme des cloches de Pâques, celles qui annoncent la résurrection, le bel été revenu, l'allégresse des jours, les promesses des bonheurs à venir...

« *Apportez un autre oreiller* », avait dit Gordon.

— Stella...

La voix calme l'était moins. Il y résonnait un infini de tendresse et d'amour.

Sans le regarder, elle balbutia... elle ne savait pas très bien trouver les mots dans son trouble :

— Il a oublié ma valise...

Il eut un rire chaud.

— Ma sauvage chérie, votre valise est dans le cabinet de toilette depuis... depuis qu'Hervé est revenu. Il y a le téléphone intérieur dans les chambres de cet hôtel, vous savez... et une porte dans le cabinet de toilette qui donne sur le couloir. Sur mon ordre, la femme de chambre avait monté votre valise.

Un étourdissement la prit.

— Oh! Gordon...

Les mains de Gordon se posèrent à sa nuque. Il lui releva la tête.

— Pardonnez-moi de vous avoir fait souffrir. Tant que pesaient sur moi ces soupçons, tant que je ne savais pas la fin de cette histoire compliquée, je ne pouvais pas risquer de vous entraîner avec moi. C'était déjà très imprudent de ma part d'avoir cédé à cet amour irrésistible que j'avais pour vous et de vous avoir épousée, alors qu'il restait tant de choses obscures dans la mission que j'étais tenu de remplir, faute d'avoir jamais rencontré mon adversaire. Car je n'ai pas rencontré Gallahan, vous l'avez compris, n'est-ce pas?... et ce soir où je courrais sur la lande et où mon destin m'a conduit vers votre maison, j'étais à sa recherche. Je ne savais qu'une chose, c'est qu'il n'était pas au rendez-vous que je lui avais assigné.

Il conclut avec gravité :

— J'allais vers la justice, vers la vengeance. C'est l'amour qui est venu au-devant de moi.

« Pour la joie et pour la peine, ma femme chérie, et pour toujours », proféra la voix de Gordon tout contre la joue de Stella.

La lampe de chevet éclairait doucement deux oreillers côte à côte.

FIN

OUVRAGES PARUS
DANS LA COLLECTION
FLORALIES

DELLY

La Jeune fille emmurée
La Louve dévorante
L'Accusatrice
Le Drame de l'Étang-aux-biches
Annonciade
Un Amour de prince
La Lampe ardente
L'Orpheline de Ti-Carrec
Gwen, princesse d'Orient
Le Roseau brisé
Ma Robe couleur du temps
Des plaintes dans la nuit
Le Rubis de l'émir
Ourida
Salvatore Falnerra
Pour l'amour d'Ourida
Un marquis de Carabas
Laquelle ?
Orietta
Le roi de Kidji
Elfrida Norsten
Le roi des Andes
L'Ondine de Capdeuilles
L'Enfant mystérieuse
Gilles de Cesbres
Le Sphinx d'émeraude
Bérengère, fille de roi
Sous l'œil des brahmes

MAX DU VEUZIT

Un singulier mariage
L'Inconnu de Castel Pic
Vers l'Unique
Le Mystère de Malbackt
L'Homme de sa vie
Le Vieux Puits
La Châtaigneraie
Sa maman de papier
Mariage doré
Nuit nuptiale
Châtelaine, un jour
Fille de prince
La mystérieuse inconnue

CORIOLA

Pour toi seul
Le plus grand amour
La troisième femme

LAUDE VIRMONNE

L'Homme des ajoncs
Par des sentiers perdus
Le château de l'imposture

ACHEVÉ D'IMPRIMER LE
14 AVRIL 1972 SUR LES
PRESSES DE L'IMPRIMERIE
BUSSIÈRE, SAINT-AMAND (CHER)

— N° d'édit. 136. — N° d'imp. 456. —
Dépôt légal : 2ᵉ trimestre 1972.

Printed in France